UN ESTUDIO BÍBLICO DEL
ESTILO DE VIDA DEL REINO

EL PLAN
SINGULAR
DE DIOS PARA LAS
NACIONES

Darrow L. Miller | Bob Moffitt | Scott D. Allen

**EDITORIAL
JUCUM**

P.O. BOX 1138 TYLER, TX 75710-1138

Editorial JUCUM forma parte de Juventud con una Misión, una organización de carácter internacional.

Si desea recibir gratuitamente un catálogo de libros y materiales comuníquese con:

Editorial JUCUM
P.O. Box 1138, Tyler, TX 75710-1138 U.S.A.
www.editorialjucum.com
Teléfono: (903) 882-4725

El plan singular de Dios para las naciones
Copyright © 2012 por Editorial JUCUM
Versión española: Antonio Pérez
Edición: Miguel Peñaloza
Publicado por Editorial JUCUM
P.O. Box 1138, Tyler, TX 75710-1138 U.S.A

Publicado originalmente en inglés con el titulo de:
God's Remarkable Plan for the Nations
Copyright © 2005 por Darrow L. Miller, Bob Moffitt, and Scott D. Allen
Publicado por YWAM Publishing
P.O. Box 55787, Seattle, WA 98155 U.S.A.

A menos que se especifique, los textos bíblicos aparecidos en este libro han sido tomados de la Santa Biblia: Nueva Versión Internacional, © 1999 por la Sociedad Bíblica Internacional. Usados con permiso.

Primera edición 2012

ISBN 978-1-57658-425-5

Impreso en los Estados Unidos

Un estudio bíblico del estilo de vida del Reino

El plan singular de Dios para las naciones
El reino inconmovible de Dios
La cosmovisión del reino de Dios

⌒ Reconocimientos

Este proyecto ha sido un verdadero esfuerzo de equipo. Muchas gracias a Randy Hoag, Presidente de Fundación Contra el Hambre Internacional, por su plan para desarrollar esta serie y su ánimo a lo largo de su realización. Muchas gracias a Max Rondoni por su valiosa ayuda para organizar la enorme cantidad de material escrito y las notas de clase, y convertirlos en un instrumento de trabajo. Estamos en deuda con Cindy Benn y Natalie Clarke por su ayuda prestada a la edición y corrección de textos. También reconocemos agradecidos la experimentada asistencia editorial de Judith Couchman, quien no sólo aportó un excelente nivel profesional a la redacción de estas lecciones sino también su corazón y su estímulo. Varias personas más han contribuido con su valiosa intuición a conformar el contenido de estas lecciones. Entre ellas están Karla Tesch, David Conner, Dave Evans, Rhonda McEwen, Arturo Cuba y Gary Zander. También damos las gracias a Warren Walsh, Marit Newton, Richard Kim, Janice Manuel y a los demás profesionales de la Editorial JUCUM por el tiempo y la energía invertidos en la preparación de estos manuales. Ha sido un gran honor y un privilegio trabajar con un equipo tan maravilloso de hermanos y hermanas comprometidos con Cristo.

Índice

Prefacio

¡Saludos de un compañero peregrino! Me agrada sobremanera que usted comience este estudio bíblico. Mi pasión consiste en ver a las personas crecer en su relación con el Rey Jesús, y prosperar en su reino. Mi plegaria es que este libro y el proceso de aprendizaje que conlleva sean de gran bendición para usted.

El estilo de vida del reino es una serie basada en la analogía de un árbol. La Biblia recurre a menudo a la figura de un árbol para ilustrar la vida cristiana. Por ejemplo, Romanos 11:16 dice así: «Si se consagra la parte de la masa que se ofrece como primicias, también se consagra toda la masa; si la raíz es santa, también lo son las ramas». Lo mismo sucede en la vida. Para rendir fruto abundante es necesario un tronco fuerte. Y para que un tronco sea fuerte, ha de tener buenas raíces. Y todo depende de un terreno fértil. Como muchas verdades profundas, este concepto es, en realidad, bastante sencillo.

No sólo me entusiasma el rico contenido de esta serie. También me gusta el método. Estoy convencido de que la gente aprende mejor en grupos pequeños y poniendo en práctica lo que aprende. No fuimos creados para crecer aislados.

Este estudio concreto, El plan singular de Dios para las naciones, trata del gran plan de la redención de Dios. En una micro escala, nos ocupamos de la familia, la comunidad y el crecimiento personal. Estas comunidades y personas constituyen una nación. Las naciones son más que una mera suma de comunidades: son la creación de distintas culturas e identidades. El discipulado de las naciones comprende, por tanto, la transformación de individuos, comunidades y culturas enteras. El propósito de este libro es mostrarle el plan y la perspectiva de Dios para las naciones, renovar su aprecio por ellas y expandir su visión por el discipulado de las mismas. Que la gracia y el gozo abunden en su vida.

Colaborador al servicio del Rey y de su reino,
—Randy Hoag
Presidente de *Fundación Contra el Hambre*

Acerca de este estudio

En este trabajo examinaremos el plan redentor de Dios, la manera como se ha desarrollado y la forma en que usted puede participar en él. El estudio se puede emprender individualmente o en grupo pequeño. Se divide en seis sesiones.

Tema de cada sesión

Sesión 1. Dios hizo las naciones. Él se compadece de ellas y tiene un plan para redimirlas.

Sesión 2. En el Antiguo Testamento, Dios desplegó su plan redentor a través de Israel.

Sesión 3. Jesús ocupa el centro del plan redentor de Dios.

Sesión 4. Dios obra a través de la Iglesia en todo el mundo para desplegar su plan redentor.

Sesión 5. Al final de los tiempos se completará el plan de Dios y se cumplirá su promesa de bendición para todas las naciones.

Sesión 6. La visión global implícita en la Gran Comisión (Mat. 28:18-20) es que todas las naciones sean redimidas y restauradas, y que sus culturas reflejen el reino de Dios.

Secciones de cada sesión

Palabras claves. Después de una narración inicial, cada sesión incluye un análisis de algunas de las palabras claves halladas en ella. Además de leer las definiciones dadas, el lector puede utilizar otros recursos adicionales, tales como un diccionario o un comentario de la Biblia para un estudio más detenido de esos términos. La comprensión de ciertas palabras le ayudará a obtener el máximo rendimiento de este estudio.

Versículos claves. Después de estudiar las palabras claves, hallará un pasaje de Escritura para cada sesión. Lea atentamente la cita y responda las preguntas formuladas. Estos pasajes claves proporcionan una referencia bíblica para la enseñanza del tema de cada sesión. Ya sea que dirija un grupo pequeño, participe en él, o estudie solo, usted puede consultar las respuestas sugeridas para las preguntas de los Versículos claves de cada sesión en las Notas de estudio que se facilitan al final del libro. No todas las preguntas esperan una respuesta del tipo «verdadero» o «falso», pero las sugerencias le ayudarán a estimular su pensamiento.

Intuiciones bíblicas. La sección narrativa constituye el corazón de cada sesión. Léala detenidamente y tome notas a medida que lo hace. Mientras va leyendo, subraye los puntos significativos o importantes y escriba las preguntas que se le ocurran.

Preguntas de descubrimiento. Esta sección está concebida para guiarle a la Palabra de Dios y alcanzar un mejor entendimiento del material que cubre la sección Intuiciones bíblicas. Las respuestas sugeridas para estas preguntas se pueden encontrar en las Notas de estudio, al final del libro.

Puntos para recordar. Esta sección resume brevemente los puntos claves de cada sesión.

Pensamientos finales. Esta sección presenta una conclusión del tema y marca una transición del núcleo de la sesión a la aplicación personal que le sigue.

Aplicación personal. Esta parte está destinada al estudio personal. Las preguntas están concebidas para ayudarle a reflexionar en su propia vida y sus experiencias, e invitarle a hacer una aplicación personal.

Una respuesta práctica. Las actividades opcionales sugeridas al final de esta sesión le ayudarán concretamente a aplicar las enseñanzas bíblicas presentadas en la lección.

Si usted dirige un grupo pequeño para hacer este estudio, le rogamos que lea la Guía para el líder o responsable antes de comenzar. En ella se ofrecen algunas orientaciones metodológicas que le ayudarán a maximizar el aprovechamiento del grupo.

Así pues, lancémonos a inquirir en las Escrituras y a descubrir el plan de Dios para bendecir, sanar y redimir a las naciones. Este es un plan que afecta profundamente su vida, y Dios desea que usted participe en él. ¿Qué papel desempeñará usted? ¿Cómo le usará Dios para influir a otros? ¿Cómo moldeará este plan la historia de su vida? Las respuestas pueden ser emocionantes.

Una invitación urgente a la evangelización de las naciones

A veces resulta tranquilizador —a veces pertur-
bador— el hecho de que una persona o grupo nos
haga una promesa. Consuela saber que alguien se preocupe lo
suficiente como para prometer una acción deseada; pero al mismo
tiempo uno se pregunta si la promesa será cumplida. Una promesa
tiene determinado potencial para complacer o para decepcionar.

Podemos sentir lo mismo acerca de Dios. ¿Cumplirá las promesas que nos ha hecho a nosotros, a sus hijos, al mundo? La
Biblia asegura que sí. El rey David escribió: «Tu reino es un reino
eterno; tu dominio permanece por todas las edades. Fiel es el
Señor a su palabra y bondadoso en todas sus obras» (Sal. 145:13).
Siglos más tarde, el apóstol Pablo exclamó: «Todas las promesas
que ha hecho Dios son «sí» en Cristo» (2 Cor. 1:20). Ya sea que

algunas promesas de Dios se hayan o no cumplido, o que esperemos o no el cumplimiento de otras, su compromiso permanece inalterable. Podemos atrevernos a creer que las promesas de Dios se cumplirán.

Hace cuatro mil años, Abraham, el padre de la nación de Israel y precursor de la Iglesia, tuvo que decidir si iba a confiar en las promesas de Dios. El Señor le prometió que todas las naciones de la tierra serían bendecidas a través de él y de su descendencia (Gén. 12:1-3). Esta fue una promesa tremenda. Abraham no vivió lo suficiente como para verla plenamente cumplida. No obstante, fiel a su palabra, Dios ha proporcionado esperanza y sanidad a muchas naciones a través de Abraham, y específicamente, a través de su descendiente más famoso, Jesucristo.

Un mundo aún arruinado

Aunque ha surgido mucho bien a lo largo de los siglos, seguimos viviendo en un mundo quebrantado y doliente. El mal, el hambre, la pobreza, la injusticia, la corrupción y la esclavitud dejan su huella en las naciones. Las guerras y las tensiones étnicas afligen a muchos pueblos. De esta manera, aunque hayamos progresado en algunas áreas, las mejoras experimentadas no son suficientes. Cada día mueren de hambre aproximadamente veinticuatro mil personas, o de enfermedades relacionadas con el hambre. Tres cuartas partes de ellas son niños.[1] Millones de personas viven angustiadas y desesperanzadas, sin haber oído las buenas nuevas de Jesucristo y el perdón de los pecados, sin conocer el profundo amor de Dios por ellos y su deseo de bendecir a las naciones. Cada vez más, los pueblos más pobres de la tierra son los menos evangelizados. Hay todavía mucho trabajo que hacer.

No obstante, la Biblia promete que Dios tiene un plan —una gran agenda— para bendecir, sanar y redimir a las naciones del mundo. Dios las creó. Él las ama y desea bendecirlas. Hay más de dos mil referencias a las «naciones» en la Escritura, y muchas tienen que ver con el deseo de Dios de bendecirlas y sanarlas. De hecho, él ama a su nación (de usted) y anhela bendecirla. Más aún, ha prometido que lo hará. La historia de cada nación del mundo ha sido —o será— tremendamente afectada por el plan redentor de Dios.

El plan redentor de Dios es el tema central de toda la Biblia. Es el hilo que enlaza el Antiguo y el Nuevo Testamento. Es un plan que comienza inmediatamente después de la separación de Adán y Eva de Dios, en Génesis 3, y no concluye hasta los capítulos finales de Apocalipsis. ¿Por qué hizo Dios su pacto con Abraham? ¿Por qué creó y bendijo al pueblo de Israel? ¿Por qué envió a su Hijo, Jesús, a morir en la cruz? ¿Por qué levantó a la Iglesia en el mundo? ¿Qué se propone lograr a través de su Iglesia en nuestra generación? Para responder a estas preguntas debemos entender en parte la gran agenda de Dios —su plan redentor para las naciones, que abarca toda la historia.

Para apreciar el alcance de este plan admirable es importante estudiar más de unos cuantos pasajes, o incluso libros, de la Biblia. Es necesario enfocar las Escrituras como un todo completo. Debemos mirar primero toda la Biblia a vuelo de pájaro e intentar comprender su «gran abanico temático». El tema unificado de la Biblia es un milagro en sí mismo. No es un solo libro sino una biblioteca de sesenta y seis libros escritos por muchos autores de distinta extracción cultural, a lo largo de más de dos mil años. Y a pesar de todo, Dios tejió esa diversidad de hilos para confeccionar un hermoso tapiz que nos revela su plan para sanar, bendecir y redimir a las naciones.

Más que individuos

Pero, ¿por qué es un pueblo o nación importante? No es sólo un conjunto de personas que comparten un mismo idioma y una región geográfica. ¿No se centra el plan redentor de Dios principalmente en los individuos? Aunque es verdad que la redención de Dios comienza con los individuos, es más comprehensiva, más maravillosa. El plan de Dios avanza por todo el mundo a medida que los individuos oyen y aceptan el evangelio por fe, nacen por fe en el espíritu (Juan 3:3) y experimentan una regeneración interior. Pero también incluye la sanidad y la transformación de naciones y culturas enteras.

Por supuesto, las naciones, o los pueblos se componen de personas, pero en cierto sentido son más grandes que la suma de sus partes. Cada pueblo tiene una personalidad o carácter propio, unas costumbres, actitudes e historia singulares. Los pueblos comparten también muchas «esferas» comunes que determinan la manera como funciona cada uno. Entre otras, el derecho, la educación y el gobierno. El interés redentor de Dios cubre también todos estos aspectos de las naciones. Su redención avanza a medida que los cristianos y las iglesias comprenden la plenitud de este plan y bendicen a las naciones compartiendo y viviendo la verdad bíblica en cada aspecto de la sociedad. Este es un punto crítico que muchos cristianos pasan por alto, y también muchos miembros de la comunidad misionera actual.

En última instancia, ¿será la Iglesia de nuestra generación fiel al mandato de Jesús de hacer discípulos de todas las naciones para cumplir su deseo? ¿Se extenderán las bendiciones de Dios —prometidas a Abraham hace cuatro mil años— a las naciones contemporáneas? Para que esto ocurra, debemos recuperar un entendimiento global del plan singular de Dios para las naciones. Estas son las cuestiones que planteamos en este estudio bíblico. Le animamos a considerarlas para su propio provecho y el de su iglesia.

—Scott D. Allen

El plan singular de Dios para las naciones

Muchos de nosotros vivimos en culturas que honran la fama. A menudo oímos hablar de personajes famosos, ricos, talentosos o líderes en ciertos sentidos. A veces escuchamos acerca de personajes perversos, excéntricos o graciosos que llegan a ser famosos. Pero una de las personas más importantes de todos los tiempos fue un pastor nómada que trató de mantener sus rebaños y su familia en un clima extremadamente desertico. Se llamaba Abraham; su historia se relata en el libro de Génesis. Es imposible exagerar su importancia para la historia del mundo. Tres religiones contemporáneas —el judaísmo, el islamismo y el cristianismo— tienen sus raíces en él. Es un personaje central en las Escrituras y los historiadores modernos aseguran que se sabe más acerca de él que de cualquier otro hombre que hubiera vivido hace cuatro mil años.

Si estuviéramos familiarizados con el Antiguo Testamento, esto no debería sorprendernos. El nombre de Abraham es grande porque Dios hizo un pacto con él. Una promesa que afecta a todas las naciones de la tierra. Mediante el pacto con Abraham, Dios reveló su plan para el mundo y la manera como será cumplido. A través de esta promesa se puede vislumbrar lo que siente el corazón de Dios por las naciones.

En esta lección usted estudiará el plan redentor de Dios, es decir, la naturaleza de su promesa y la forma como se ha desplegado a través de los siglos. Después podrá considerar cómo puede participar en esta aventura emocionante y transformadora.

PALABRAS CLAVES

¿Qué es una nación?

Nación

En el Antiguo Testamento, la palabra hebrea *mishpachah* se traduce básicamente por *nación*, y significa grupo de familias, tribu o clan. El Nuevo Testamento usa la palabra *etnos* que significa raza, pueblo o grupo étnico. Algunas versiones de la Biblia como la Nueva Versión Internacional sustituyen la palabra «pueblos» por naciones, pero la raíz de la palabra es la misma. Al leer la Biblia, es importante no confundir el significado moderno de la palabra *nación* —o nación-estado— con el uso bíblico de la palabra. Por ejemplo, Etiopía es una nación-estado, pero alberga casi cien grupos étnicos o pueblos (en el sentido bíblico).

Redimir (redención/redentor)

Redimir significa salvar o rescatar a alguien o a algo, o liberar a alguien de la cautividad o la esclavitud. Bíblicamente, la palabra *redimir* suele hacer referencia al rescate o liberación de una persona o pueblo de la atadura del pecado y del castigo que merece la violación de las leyes de Dios.

Pacto

En la Biblia, la palabra pacto representa un acuerdo solemne que obliga mutuamente a las partes a mantener una relación definida y permanente. El acuerdo incluye promesas, declaraciones y responsabilidades para los implicados. Cuando Dios hace un pacto en la Escritura, él mismo establece las condiciones. En el Antiguo Testamento, el pacto básico entre Dios y la nación de Israel es: «Haré de ustedes mi pueblo; y yo seré su Dios» (Éx. 6:7). La responsabilidad de Israel es: «Amen al SEÑOR su Dios y cumplan siempre sus ordenanzas, preceptos, normas y mandamientos» (Deut. 11:1).

VERSÍCULOS CLAVES

Un viaje y una bendición

El SEÑOR le dijo a Abram: «Deja tu tierra,
tus parientes y la casa de tu padre, y vete
a la tierra que te mostraré.
«Haré de ti una nación grande,
y te bendeciré;
haré famoso tu nombre,
y serás una bendición.
Bendeciré a los que te bendigan
y maldeciré a los que te maldigan;
por medio de ti serán bendecidas
todas las familias de la tierra».

—*Génesis 12:1-3*[2]

1. ¿Cuáles son las tres cosas que Dios pidió a Abraham que dejara?

_____

_____

_____

_____

2. ¿Adónde le pidió Dios a Abraham que fuera?

_____
_____
_____
_____

3. Mencione las seis declaraciones de futuro que Dios prometió a Abraham.

_____
_____
_____
_____

4. Si Abraham obedecía, ¿qué consecuencia tendría el pacto de Dios con él?

_____
_____
_____
_____

5. ¿Cuál es el plan de Dios para todas las naciones a través de Abraham?

_____
_____
_____
_____

INTUICIONES BÍBLICAS

Está en nuestra sangre

¿Sabía usted que estamos emparentados los unos con los otros? Este es un pensamiento intrigante para los historiadores y los entusiastas de los árboles genealógicos. La Biblia declara claramente que todos los pueblos, razas y culturas llevan la misma sangre en las venas (Hechos 17:26). El linaje de cada nación e individuo se retrotrae en última instancia a la primera pareja: Adán y Eva. Génesis 3:20 declara: «El hombre llamó Eva a su mujer, porque ella sería la madre de todo ser viviente». Ella es la madre de la raza humana. Miles de pueblos habitan hoy el mundo, y todos están relacionados entre sí. Todos descienden de la misma sangre.

Lo mismo que Dios bendijo a Adán y Eva, él desea bendecir a las naciones del mundo. Pero, desgraciadamente, por causa de la rebelión de la primera pareja contra Dios, los pueblos sufren quebrantos, pobreza, conflictos y tragedias. La fuente original de esta miseria se halla en Génesis 3 donde se nos asegura que la primera pareja dio la espalda a su Creador. El apóstol Pablo lo describe diciendo: «Por medio de un solo hombre el pecado entró en el mundo, y por medio del pecado entró la muerte; fue así como la muerte pasó a toda la humanidad, porque todos pecaron» (Rom. 5:12).

Este primer acto de desobediencia por parte de los portadores de su imagen se conoce como la Caída. El pecado original no sólo separó a la pareja de Dios, sino que afectó negativamente cada aspecto de su orden creado (Rom. 8:18-25). Afectó la relación de la humanidad con Dios. Afectó la relación de unas personas con otras y de la humanidad con el resto de la creación. Afectó incluso la relación de la persona consigo misma. Nada quedó sin alterar. Las consecuencias de la caída son obvias, no sólo en la aflicción, conflicto y sufrimiento que nos rodean, sino también en nuestras propias vidas.

La buena noticia es que Dios no abandonó a su creación en esta condición caída. Comenzó inmediatamente a revelar su plan para redimir, restaurar y sanar todo lo que había quedado arruinado por el pecado. La historia de cada nación encaja en este plan redentor para el mundo.

Después de la Caída fatal

Después del relato bíblico de la Caída y del diluvio universal, en Génesis 1-9, el Señor repobló la tierra con una familia: Noé y sus descendientes (Gén. 10). El capítulo siguiente refiere la trascendental historia de la torre de Babel y el nacimiento de los pueblos del mundo.

> En ese entonces se hablaba un solo idioma en toda la tierra. Al emigrar al oriente, la gente encontró una llanura en la región de Sinar, y allí se asentaron. Un día se dijeron unos a otros:... «Construyamos una ciudad con una torre que llegue hasta el cielo. De ese modo nos haremos famosos...» Pero el SEÑOR bajó para observar la ciudad y la torre que los hombres estaban construyendo, y se dijo: «Todos forman un solo pueblo y hablan un solo idioma; esto es sólo el comienzo de sus obras, y todo lo que se propongan lo podrán lograr. Será mejor que bajemos a confundir su idioma, para que ya no se entiendan entre ellos mismos.» De esta manera el SEÑOR los dispersó desde allí por toda la tierra.
>
> —Génesis 11:1-8

¿Por qué el acontecimiento de Babel representa una encrucijada trascendental en la historia? Antes de este acontecimiento la humanidad hablaba una sola lengua y formaba un solo grupo cultural. En Babel, Dios confundió la lengua de la gente y los esparció por toda la faz de la tierra. Entonces nacieron muchos pueblos. Al crear a los pueblos, Dios estableció el escenario de su agenda redentora: un plan que desplegaría a través de un pueblo en particular y de las naciones, a partir de ese momento.

La primera aparición bíblica

Inmediatamente después del relato de Babel aparece Abraham por primera vez en la Escritura. Él pertenecía a una de las muchas naciones nuevas. Como dijimos en la anterior sección de Versículos claves, el pacto de Dios con Abraham supone la revelación más clara de su plan redentor y su propósito, a esa altura en las Escrituras. En este pacto, Dios prometió a Abraham tres cosas: (1) Haré de ti una gran nación, (2) haré famoso tu nombre, y (3) te bendeciré. Los constructores de la torre de Babel querían también hacerse famosos. Por contraste, Dios llamó a Abraham a una relación especial con su Creador y le prometió que su nombre —el de un pastor nómada— sería famoso. Pero, ¿por qué hizo Dios estas promesas a Abraham? Dios le reveló la respuesta dándole una responsabilidad: «Por medio de ti serán bendecidas todas las familias de la tierra» (Gén. 12:3).

En esa breve frase Dios reveló su plan magnífico para la redención, la sanidad y la restauración del mundo. Dios escogió a Abraham y le bendijo para un propósito redentor: que fuese de bendición a otros, para que al fin de los siglos todas las naciones fuesen bendecidas. Aunque Dios demostró su amor a Abraham a través de esta promesa, está claro que su amor se extendió al mundo entero. El pacto de Dios reveló su corazón compasivo por las naciones.

Pero ¿Cómo iban a ser «todas las naciones de la tierra» bendecidas por medio de Abraham? ¿Qué quiso decir Dios cuando le hizo esta extraña promesa y se la reafirmó una y otra vez? (véase Gén. 18:18; 22:18; 26:4; 28:14) El efecto pleno de esta promesa no sería comprendido hasta después de dos mil años. En el tiempo que Dios dispuso, el más famoso de los descendientes de Abraham, Jesucristo, moriría en una cruz para extender su bendición a los pueblos de todas las naciones.

Dios decidió desplegar su plan a través de un hombre. Es más; a través de toda la Escritura Dios llevó a cabo su plan por medio de individuos. Algunos fueron bien conocidos como Moisés, Débora, Ester, David y Pablo. Otros lo fueron menos, como Rahab, Esteban y Dorcas. No obstante, todos ellos jugaron un papel importante en la manifestación del plan redentor de Dios. Sus experiencias revelan que Dios usa a hombres y mujeres individualmente para llevar a cabo su plan. En consecuencia, toda vida humana tiene una asombrosa importancia eterna.

PREGUNTAS DE DESCUBRIMIENTO

Una ojeada más cercana al plan de Dios

La gran importancia de las naciones —y de los individuos que a ellas pertenecen— cobra más significado cuando uno estudia la Biblia por sí mismo. Abra la Biblia para leer más acerca del plan de Dios para las naciones y para usted.

1. Lea Hechos 17:26-27 y responda a las siguientes preguntas.

    a. Comente el control soberano de Dios sobre las nacio-nes, declarado en el versículo 26.

        _____

        _____

        _____

        _____

    b. Según este breve pasaje, ¿cuál es el deseo de Dios para las naciones?

        _____

        _____

        _____

    c. ¿Qué afirman Génesis 3:20 y este pasaje acerca de todos los pueblos, razas y culturas?

        _____

        _____

        _____

2. Lea Hebreos 6:13-17 y responda a las siguientes preguntas.

   a. ¿Por qué hizo Dios una promesa y la confirmó mediante juramento?

   _____

   _____

   _____

   b. En sus propias palabras, ¿qué consiguió ese juramento?

   _____

   _____

   _____

   c. ¿Qué efecto tuvo este juramento sobre toda nación?

   _____

   _____

   _____

3. Lea los siguientes pasajes. ¿Qué revelan acerca del pacto de Dios con Abraham?

   Salmo 117

   _____

   _____

   Romanos 15:7-13

   _____

   _____

   _____

   Apocalipsis 7:9-10

   _____

   _____

4.   ¿Cómo puede el pacto de Dios afectar a su nación?

_____

_____

PUNTOS PARA RECORDAR
Repaso de las naciones

Dios creó a todos los pueblos y los ama.

Dado que Adán y Eva se rebelaron contra Dios, todas las naciones están afligidas por el quebranto, el conflicto y la tristeza (Rom. 5:12).

Dios tenía un plan para redimir a los individuos y a las naciones de la esclavitud del pecado y del efecto destructor de la Caída (Col. 1:19-20).

Mediante un pacto, Dios prometió hacer de los descendientes de Abraham una gran nación que bendijese a todas las demás.

Dios lleva a cabo su plan redentor a través de individuos. Esto quiere decir que toda persona tiene una importancia eterna asombrosa.

PENSAMIENTOS FINALES
Alabanza por el plan de Dios

Dios se revela a sí mismo en la Biblia como «Dios clemente y compasivo» (Éx. 34:6-7). Gracias a su gran amor por la creación, él concibió un plan para la redención del mundo que abarca toda la historia. Usted forma parte de este mundo, y Dios le quiere redimir a usted y a su pueblo. Alabe a Dios porque él lo ama y lo redime del pecado. Alábelo porque él ama a su nación y desea bendecirla y sanarla. Alábele porque su vida tiene mucha importancia. Pida a Dios que le muestre cómo quiere usarle en esta admirable estrategia redentora.

APLICACIÓN PERSONAL

¿Qué dice Dios acerca de su nación?

Dios ama profundamente a todas las naciones y desea redimirlas. Sírvase de estos pensamientos y preguntas para aplicar los principios de esta sesión a su nación y para meditar acerca de su responsabilidad en el plan redentor de Dios.

1. Dios creó a todos y todo lo que existe. De manera que, cada nación, aunque marcada por el pecado y la destrucción, aún refleja su gloria y su bendición. Por muy arruinada —espiritual y físicamente— que su nación, sus gentes, su cultura, su herencia y su estructura puedan estar, encierran características positivas. Piense en lo que engrandece a su nación. ¿Qué le gusta de sus gentes, sus costumbres u otros aspectos de su cultura? Mencione entre tres y cinco atributos positivos.

    _____

    _____

    _____

2. De la lista que acaba de hacer, ¿qué característica de su nación es la que más le gusta? ¿Por qué? ¿Cómo le afecta personalmente esta característica?

    _____

    _____

    _____

3. Reflexione ahora en la naturaleza espiritual de su nación. ¿Cuál es la relación espiritual de su nación con Dios? Descríbala en unas pocas frases.

    _____

    _____

    _____

4. ¿Cómo le afecta a usted y a su vida el panorama espiritual de su nación?

    _____

    _____

    _____

5. Debido a la influencia del pecado, todas las naciones experimentan quebranto. ¿Cuáles son las áreas más importantes de quebranto o deterioro en su nación? Mencione al menos tres.

    _____

    _____

    _____

6. ¿Cuál de estas tres áreas de ruina o descomposición le afectan más a usted? ¿Por qué? ¿Cómo le afectan a usted personalmente?

    _____

    _____

    _____

7. ¿Está haciendo algo actualmente para llevar redención a esa área de decadencia? Si es así, ¿qué? Si no, ¿está listo (a) para empezar? ¿Por qué sí o por qué no?

    _____

    _____

UNA RESPUESTA PRÁCTICA
Bendiciones y quebrantos

Intente las siguientes actividades opcionales para determinar y comprender mejor el carácter de su nación, y señalar y orar por sus necesidades.

Haga un mapa

Obtenga o dibuje un mapa de su país. Al lado izquierdo del mapa haga una lista titulada «Bendiciones». Bajo este encabezamiento mencione las bendiciones que Dios ha derramado sobre su nación. Por ejemplo, la lista podría incluir cuestiones como la libertad, la naturaleza artística, la conciencia social, un fuerte sentido de la herencia, etc. Consulte las respuestas de la pregunta 1 de la sección Aplicación personal para hacer esta lista. Si forma parte de un grupo, escojan juntos cuáles de sus muchas respuestas corresponden al mapa.

A la derecha del mapa, escriba el título «Quebrantos» y mencione los aspectos deteriorados de su nación y de sus comunidades. La lista puede incluir algunos puntos como las sectas, las drogas, la pobreza, la opresión de las minorías, las mujeres, etc. Consulte la respuesta de la pregunta 5 de la sección Aplicación personal para hacer su lista.

Coloque el mapa en la pared para que usted o su grupo de estudio vea cada sesión. Use el mapa como un recordatorio para aplicar las verdades de este estudio a su nación, orar por sus necesidades y asumir la parte que a usted le toca. También puede trazar una línea o unir con una cuerda fina cada característica con la zona más afectada del país. Por ejemplo, si las drogas ilegales hacen estragos en algún lugar del país, trace una línea entre «drogas» y ese lugar.

Plan de oración

Apoyado en el mapa de la primera actividad (o listas confeccionadas sobre el papel), conciba un plan de oración por su nación. Rellene la tabla que aparece más abajo dividiendo las bendiciones y los quebrantos de su nación en seis sesiones de oración. Al final de cada sesión de estudio tómese unos instantes para dar gracias a Dios por las bendiciones e interceder por los quebrantos.

Pida también a Dios que le muestre qué puede hacer para sanar los destrozos experimentados. Anote todo lo que le venga a la mente.

	Bendiciones	Quebrantos
Sesión 1 Fecha:		
Sesión 2 Fecha:		
Sesión 3 Fecha:		
Sesión 4 Fecha:		
Sesión 5 Fecha:		
Sesión 6 Fecha:		

La próxima sesión: *La obra redentora de Dios a través de la nación de Israel*

El importante cometido de Israel en el plan de Dios

Muchos padres procuran no tener «favoritos», y desean amar y tratar a sus hijos por igual. Los patronos también se benefician del trato justo y ecuánime a sus empleados. Aunque viviéramos bajo un régimen autoritario y represor, nos sentiríamos injustamente tratados si los gobernantes favorecieran a ciertos sectores en detrimento de otros. En consecuencia, teniendo en cuenta la mentalidad del siglo XXI, podría parecer injusto el hecho de que Dios decidiera tener un «pueblo escogido».

¿Por qué ha de limitar Dios su atención para tener una nación favorita? Casi todo el Antiguo Testamento abarca la historia de la relación de Dios con los descendientes de Abraham, la nación de Israel. Por contraste, el Nuevo Testamento es más internacional y se centra en la predicación de las buenas nuevas de Jesucristo por todo el mundo. A pesar de esta apariencia superficial, el amor de Dios por todas las naciones fue tan genuino en el Antiguo Testamento como lo es hoy. Desde el capítulo 12 de Génesis en adelante, su plan de redención global ha consistido en levantar y bendecir a una nación escogida para servir de canal de bendición a todas las demás. En el Antiguo Testamento, esa nación fue Israel. En el Nuevo Testamento, esa nación es la Iglesia. La conexión entre el Antiguo y el Nuevo Testamento, y entre la nación de Israel y la Iglesia, es muy profunda. Por eso es tan importante considerar que Israel figure en la agenda redentora de Dios.

En esta sesión veremos cómo actuó Dios a través de los descendientes de Abraham —la nación de Israel— para llevar a cabo la primera fase de su plan.

PALABRAS CLAVES
La bendición de los judíos

Israel/los judíos

La palabra *Israel* es el nombre nuevo que Dios dio a Jacob, el hijo de Isaac y nieto de Abraham, después de su famoso combate con Dios, en Génesis 32:22-32. En realidad, *Israel* significa «pugnar con Dios». Más adelante, en el Antiguo Testamento, Israel pasó a ser el nombre común de todos los descendientes de Jacob.

Jacob tuvo doce hijos, y sus descendientes llegaron a ser conocidos como las doce tribus de Israel, los hijos de Israel, o simplemente, los israelitas. Cuando el reino de Israel se dividió a la muerte del rey Salomón, las diez tribus del norte adoptaron para sí el nombre de Israel. El reino del sur se llamó Judá, que había sido el nombre de la tribu dominante en esa región. Después del exilio, todo el pueblo volvió a llamarse *Israel*.

La palabra *judío* fue primeramente usada por los extranjeros que había en el mundo helénico (o romano). Procede de las palabras griega y latina para Judá y el mismo pueblo. El pueblo de Israel no empezó a usar comúnmente la palabra para nombrarse a sí mismos hasta mediados del primer siglo, cuando muchos (y después, la mayoría) fueron esparcidos más allá de Palestina. *Israel* denomina hoy tanto a una nación-estado como a un grupo étnico. *Judío* es la persona de este origen étnico, aunque él o ella sea un ciudadano de una nación-estado que no sea Israel.

Bendición

En los tiempos bíblicos, el concepto de *bendición* tenía un hondo significado. Bendecir a una persona era declarar favor y bondad sobre ella. Pero no era un mero deseo de felicidad a alguien, o una cuestión de cortesía; tenía más bien poder espiritual para llegar a ser una realidad.

En el Antiguo Testamento, una bendición solía designar un don material o espiritual concedido por Dios a su pueblo. Dios bendijo a su pueblo con vida, riqueza, fruto o abundancia, incluso a aquellos que no parecían merecerlos. En el Nuevo Testamento, una bendición suele hacer referencia a un don espiritual. La mayor bendición de Dios, Jesús, borró nuestros pecados (Rom. 4:7-8) y nos prometió vida eterna.

Santo (santidad)

La palabra *santo* designa algo pleno o perfecto en un sentido moral. La Biblia dice que Dios es santo. Es puro y completo en su carácter moral. *Santidad* significa también «separación»; y el vocablo *santo* designa a personas o cosas que han sido separadas o apartadas para Dios y su servicio.

VERSÍCULOS CLAVES
Un rey busca el favor de Dios

Dios nos tenga compasión y nos bendiga;
Dios haga resplandecer su rostro sobre nosotros,
para que se conozcan en la tierra sus caminos,

y entre todas las naciones su salvación.
Que te alaben, oh Dios, los pueblos;
que todos los pueblos te alaben.
Alégrense y canten con júbilo las naciones,
porque tú las gobiernas con rectitud;
¡tú guías a las naciones de la tierra!
Que te alaben, oh Dios, los pueblos;
Que todos los pueblos te alaben.
La tierra dará entonces su fruto,
Y Dios, nuestro Dios, nos bendecirá.
Y le temerán todos los confines de la tierra.

—Salmo 67

1. David, el rey de Israel, escribió el Salmo 67. ¿Por qué este gobernante buscó la bendición de Dios?

   _____

   _____

2. ¿Qué revela este pasaje acerca de la intención de Dios para las naciones?

   _____

   _____

   _____

3. ¿Cómo se califica la función que ejerce Dios?

   _____

   _____

4. ¿Qué similitudes hay entre este salmo, escrito aproximadamente mil años después del pacto de Dios con Abraham, y Génesis 12:1-3?

   _____

   _____

   _____

INTUICIONES BÍBLICAS

Un modelo y un mensajero para el reino

Pocas generaciones después del maravilloso pacto de Dios con Abraham, sus descendientes sufrieron esclavitud en Egipto. Lejos de ser bendecidos, los hijos de Israel fueron una pobre nación esclava. Durante 430 años fueron una nación de refugiados, acostumbrados al sufrimiento, la servidumbre y el duro trabajo. ¿Había abandonado Dios la promesa de bendecir a la descendencia de Abraham? ¿Acaso no era ya el pueblo escogido?

Aunque pudiera parecerlo, Dios estaba actuando detrás de bastidores, preparando a Israel para librarlo de la esclavitud —un rescate tan milagroso que sólo Dios podía llevarlo a efecto—. No había ejército israelita que confrontara a los poderosos egipcios; sencillamente, salieron a pie, en pos de Moisés, el líder que Dios les señalara. Cuando, por fin, el ejército egipcio inició su persecución, Dios dispuso un escape espectacular dividiendo las aguas del mar Rojo (Éx. 13:17-14:31). Todas las naciones del mundo no pudieron sino maravillarse del plan soberano de Dios.

En el plan soberano de Dios, esta pobre y quebrantada nación fue rescatada de la esclavitud para ser un modelo para el mundo: un pueblo singularmente bendecido por Dios. Sin embargo, Dios no mostró favor a Israel porque ella fuera la nación más grande, más fuerte o más santa de la tierra. (Los israelitas tropezaron repetidamente en su relación con Dios y necesitaron su perdón.) Él los redimió —por causa de su amor por todas las naciones— y por el pacto vinculante con Abraham para bendecirlas a través de su descendencia.

Por medio de Moisés, Dios ratificó su pacto con Israel: prometió ser su Dios; ellos serían su pueblo escogido (Éx. 6:7). También les dio instrucciones específicas para que vivieran de forma que le fuera agradable (20:1-17). El Señor instruyó a Israel para que experimentara vida, libertad y prosperidad obedeciendo sus leyes, sus mandamientos y su voluntad revelados. Sin embargo, el rechazo de las leyes de Dios les acarrearía muerte y destrucción. El pacto de Dios con Israel dependía de la obediencia.

Una posesión exclusiva

Cuando Dios ratificó su pacto de bendición en Éxodo 19, dijo que si Israel obedecía sus mandamientos disfrutaría de una posición privilegiada entre las naciones. Les explicó: «Si ahora ustedes me son del todo obedientes, y cumplen mi pacto, serán mi propiedad exclusiva entre todas las naciones. Aunque toda la tierra me pertenece, ustedes serán para mí un reino de sacerdotes y una nación santa» (Éx. 19:5-6). Israel sería una propiedad preciosa. ¡Qué bendición! ¡Qué honor!

Para que los israelitas no se ensoberbecieran o se sintieran superiores, Dios les recordó de inmediato el propósito de esta bendición. «Toda la tierra me pertenece», proclamó el Señor. «Mi amor se extiende a todas las naciones. Su deber es ser un reino de sacerdotes y una nación santa». Es decir, Israel debía ser una nación modélica —una nación santa— delante del mundo. Israel tenía que ser también un mensajero a las naciones —un reino de sacerdotes— que proclamara la realidad, la naturaleza y el carácter del Dios vivo. Los sacerdotes sirven de intermediarios, hacen de puente entre Dios y los hombres. La responsabilidad de Israel en el mundo sería cumplir con su función sacerdotal.

Dios se reveló de una manera especial a su pueblo escogido. Ellos, a su vez, serían testigos de la realidad de Dios ante los escrutadores ojos del mundo. Las naciones vigilantes comprenderían que las leyes de Dios son beneficiosas para crear sociedades libres, justas y compasivas (Deut. 4:5-8; 28:1-14). De modo que Israel fue bendecido para un propósito: bendecir a otros.

Dios nos tenga compasión

David —el gran rey de Israel— entendió claramente el plan de Dios de bendecir a todas las naciones y el papel singular que jugaría Israel en ese plan. Escribió profunda y hermosamente acerca de este tema en el Salmo 67, el pasaje clave para esta sesión. «Dios nos tenga compasión y nos bendiga», escribió David (vers. 1), no para que Israel disfrutara exclusivamente de la bendición de Dios, sino para que «se conozcan en la tierra sus caminos, y entre todas las naciones su salvación» (vers. 2). Este salmo, como también Éxodo 19:5-6 y Génesis 12:1-3, forma parte del tema de la redención expuesto a lo largo de toda la Biblia. El plan de Dios para la redención del mundo gira en torno al levantamiento y bendición de un pueblo escogido para servir como canal de bendición a las demás naciones.

Pero, ¿reconocieron esto las demás naciones y honraron a Dios como consecuencia del ejemplo de Israel? Un claro ejemplo ocurre en 2 Crónicas, cuando una autoridad extranjera —la reina de Sabá— visita al rey Salomón y admira el gran templo de Jerusalén. Salomón era el hijo del rey David que ascendió al trono después de la muerte de su padre.

> La reina de Sabá se quedó atónita al ver la sabiduría de Salomón y el palacio que él había construido. Entonces le dijo al rey: «¡Todo lo que escuché en mi país acerca de tus triunfos y de tu sabiduría es cierto! No podía creer nada de eso hasta que vine y lo vi con mis propios ojos. Pero en realidad, ¡no me habían contado la mitad de tu extraordinaria sabiduría! Tú superas todo lo que había oído decir de ti… Alabado sea el SEÑOR tu Dios, que se ha deleitado en ti, y te ha puesto en su trono para que lo representes como rey. En su amor por Israel, tu Dios te ha hecho rey de ellos para que gobiernes con justicia y rectitud, pues él quiere consolidar a su pueblo para siempre».
>
> —2 Crónicas 9:3-8

Tal como fue prometida, la bendición de Dios se extendió a otras naciones a través de Israel. En realidad, en esta ocasión, Salomón había orado a Dios pidiéndole específicamente que bendijera a las demás naciones con ocasión del templo recién construido (2 Cró. 6:32-33). Dios respondió a la petición del rey.

Los dones de los judíos

Los judíos no sólo han dado al mundo hermosos templos y vida abundante. Su influencia impregnó a otras culturas a lo largo de la historia. Thomas Cahill ha descrito el impacto de Israel sobre las naciones del mundo en su libro *The Gifts of the Jews:*

> Cuando nos levantamos por la mañana o cruzamos la calle, nos afectan pensamientos e ideas que nos fueron legados a través de la nación de Israel. Soñamos sueños judíos y tenemos esperanzas judías. Muchas de nuestras mejores palabras, por ejemplo, *nuevo, aventura, sorpresa, singular, individual, persona, vocación, tiempo, historia, futuro; libertad, progreso, espíritu; fe, esperanza, justicia,* son todas ellas dones de los judíos.[3]

Sí; muchas bendiciones alcanzaron a las naciones a través de Israel —la nación escogida de Dios. Considere algunos de los conceptos que Cahill menciona: *historia, futuro, progreso.* Antes de Abraham, las naciones estaban atrapadas en una concepción cíclica del tiempo: un ciclo interminable de nacer, crecer y morir. Primavera, verano, otoño e invierno; siembra, cultivo y cosecha. La historia no se dirigía hacia finalidad alguna. La vida individual parecía no tener sentido; parecía no tener propósito aparte de la mera supervivencia. Lo normal era vivir en el fatalismo. No había esperanza para el mañana. Sólo la aplastante realidad del presente y del pasado. No obstante, mediante la nación escogida de Israel, Dios presentó a los seres humanos otros conceptos como la historia, el futuro y el progreso. Estos conceptos los damos hoy por sentados.

Pero el pacto de Dios con Abraham cambió para siempre la historia. Dios llamó a Abraham a salir de un círculo absurdo. Le llamó a abandonar su antiguo estilo de vida y a comenzar una nueva. Le dio una esperanza y una promesa de futuro. Le dio un destino. Súbitamente, la vida empezó a tener sentido y propósito. La historia conoció la palabra progreso y los individuos encontraron un propósito para vivir. Cuando el Dios creador del universo reveló su estrategia universal de redención a través de *un hombre* —Abraham— las personas descubrieron su potencial para afectar la historia. Cada individuo era importante en cuanto era dueño de sus actos y responsable de lo que hiciera.

No nos resulta fácil entender cuán transformadoras fueron estas ideas hace cuatro mil años. Como Cahill nos recuerda, estos conceptos fueron dones a los judíos, o para ser más exactos, fueron parte de los dones de la bendición de Dios a las naciones a través de Jesús. Tomemos otro ejemplo y consideremos las leyes de Dios reveladas en los Mandamientos (Éx. 20:1-17). Dios entregó los Diez Mandamientos a Israel, y sin embargo, estas leyes bendicen y guían a muchas otras naciones del mundo. Proveen una base segura, contrastada por el tiempo, para practicar la moral y la justicia social.

Un camino en la hora más oscura

En conjunto, el Antiguo Testamento presenta el plan universal de redención de Dios mediante su pueblo escogido. Es una historia salpicada de éxitos y fracasos. La oración de David en el Salmo 67 y la oración de Salomón para dedicar el templo, en 2 Crónicas 6, demuestran que Israel comprendió inicialmente su propósito y su destino. No obstante, como el pueblo de Dios sigue haciéndolo hoy, Israel desobedeció una y otra vez y abandonó a su Señor. Se hizo a menudo arrogante y altanero y sufrió el castigo de Dios al olvidar su propósito de bendecir, Israel menospreció con frecuencia a las otras naciones. En el tiempo de la venida de Jesús, Israel se había desviado tanto de su propósito que el espectáculo de los vendedores del templo de Jerusalén le hizo montar en cólera y denunciar a los dirigentes religiosos: «¿No está escrito: «Mi casa será llamada casa de oración para *todas las naciones*? Pero ustedes la han convertido en cueva de ladrones» (Mar. 11:17, cursiva del autor).

Jesús sabía que el templo tenía que ser una casa de oración, no sólo para Israel sino para todas las naciones. Con todo, Israel se había extraviado; se había apartado del plan de Dios y, en consecuencia, no podía bendecir a otros. Pero a pesar de la necedad humana, el plan de Dios siguió adelante. Incluso en las horas más oscuras de Israel como nación, Dios preparó el camino para Jesús, el Mesías —la luz del mundo (Juan 8:12) — para proporcionar redención a Israel y a todas las naciones. Lo que el profeta Isaías escribiera acerca de su propia nación es verdad para todos nosotros: «Todos andábamos perdidos, como ovejas; cada uno seguía su propio camino, pero el Señor hizo recaer sobre él la iniquidad de todos nosotros» (Isa. 53:6). A través de Jesús, el pleno alcance y sentido del amor redentor de Dios a las naciones sería desatado en poder y humildad.

PREGUNTAS DE DESCUBRIMIENTO

La respuesta de una nación a la promesa

Dios prometió bendecir abundantemente a Israel con la condición de que obedeciera sus mandamientos. Al examinar los siguientes versículos descubrirá más acerca de la responsabilidad de la nación de seguir los caminos de Dios. Al hacer el estudio, piense en que la obediencia podría haber sido una respuesta gozosa a su bendición en vez de un conjunto de normas a cumplir.

1. Lea Deuteronomio 7:7-8. Dios habla acerca de Israel. ¿Por qué escogió Dios a este pueblo? ¿En qué *no* se basó su decisión?

    _____

    _____

2. ¿De qué salvó (redimió) Dios a este pueblo?

    _____

    _____

    _____

3. Lea Génesis 18:17-19, Deuteronomio 4:5-9, 39-40, y 28:9-14. ¿Qué espera Dios que haga su pueblo escogido?

    _____

    _____

    _____

4. ¿Qué consecuencias seguirían a la obediencia de Israel?

    _____

    _____

    _____

5. ¿Qué aprenderían las naciones vigilantes acerca de Israel cuando vieran su obediencia? ¿Qué aprenderían acerca de Dios?

    _____

    _____

6. ¿Cómo puede la bendición de Dios sobre Israel alcanzar a su país?

    _____

    _____

    _____

PUNTOS PARA RECORDAR
Repaso de la función de Israel

Dios escogió bendecir a la nación de Israel para que pudiera bendecir a otras naciones.

Si Israel obedecía las instrucciones (leyes) de Dios sería bendecida. Si la nación desobedecía, cosecharía destrucción.

Cuando fuera obediente y bendecida, Israel serviría de modelo y de mensajero, para proclamar a las naciones la existencia del único y soberano Dios.

PENSAMIENTOS FINALES
Usted es una estrella

El apóstol Pablo ilustró la relación entre la nación de Israel, en el Antiguo Testamento, y la Iglesia, en el Nuevo, usando la figura de un olivo con muchas ramas (Rom. 11:11-24). Israel, el pueblo escogido de Dios, es el verdadero olivo y la semilla de este árbol es Abraham. Por causa de la incredulidad, las ramas del olivo natural fueron cortadas, y las de otro árbol —un olivo silvestre—, injertadas. Estas ramas injertadas representan a la Iglesia. Junto con los judíos creyentes hemos sido injertados en el árbol escogido por Dios y pertenecemos a la auténtica nación de Israel, teniendo a Abraham como predecesor.

Cuando Abraham levantó los ojos al cielo en una noche clara y vio innumerables estrellas, recordó la promesa que Dios le había hecho de que su descendencia sería tan numerosa como las estrellas del cielo (Gén. 15:5). Si consideramos que ahora somos parte del árbol verdadero, ¡una de las «estrellas» que él vio era usted! Hemos heredado un legado asombroso. Todas las promesas que Dios hizo a Abraham y a sus descendientes, así como las responsabilidades y obligaciones que les confió, se aplican actualmente a la Iglesia. Debemos ser canales de bendición a un mundo arruinado.

APLICACIÓN PERSONAL

Hazme una bendición

Así como Dios bendijo a Israel, él quiere bendecirle a usted y a su nación. Sírvase de las siguientes preguntas para ponderar cómo él puede bendecir a otros a través de usted

1. Dios usó a propósito una de las naciones más quebrantadas de la tierra para reflejar su poder y su gloria al mundo. La Biblia enseña que Dios usa lo débil de este mundo «a fin de que en su presencia nadie pueda jactarse» y él reciba la gloria (1 Cor. 1:26-29). Reflexione en su propia vida. ¿A qué estaba usted «esclavizado» antes de que Dios le redimiera? (Véase Rom. 6:15-23.) ¿Cómo él le ha sanado, restaurado y bendecido?

    _____

    _____

    _____

2. Dios liberó a Israel de la esclavitud de una manera profunda y espectacular. Fue milagrosa para que las naciones observadoras supieran que era Dios quién la había llevado a cabo. ¿Ha usado Dios su obra transformadora en su vida como testimonio para otros? En caso afirmativo, ¿cómo? Si no puede señalar ningún detalle, ¿cómo le gustaría ser usado en el futuro?

    _____

    _____

    _____

3. Como Israel, usted puede ser una bendición. Usted puede usar su vida, sus dones, sus talentos y sus capacidades para reflejar la gloria de Dios ante otros. Considere en oración su vida

cotidiana. ¿Qué cosa sencilla pero continuada puede usted hacer para compartir sus talentos y/o capacidades con otros?

_____

_____

_____

4. ¿Qué papel juega la obediencia para bendecir a otros?

_____

_____

_____

5. Escriba una oración a Dios expresándole su deseo de bendecir a otros porque él le ha bendecido a usted.

_____

_____

_____

UNA RESPUESTA PRÁCTICA
Bendigamos a otros

Cuando nos proponemos bendecir a otros —especialmente a las personas que componen una nación— nos podemos sentir abrumados por las necesidades y las posibilidades. Pero una pequeña bendición puede encerrar una gran influencia si se da en el nombre del Señor. Considere cómo puede compartir pequeñas bendiciones para obtener grandes resultados. Pruebe con las siguientes sugerencias.

Comience una campaña de bendición

En una hoja de papel, o en un tablero (para un grupo de coloquio), escriba al menos diez maneras en que pueden bendecir a su comunidad —especialmente a los que viven alejados de Dios. Podrían ser «pequeñas acciones» como el llevar comida a las personas que están inválidas, recoger donativos para los pobres, trabajar un día en un campamento para niños discapacitados, ofrecerse como voluntario para hacer y distribuir folletos para una empresa que esté en apuros, donar parte de sus ahorros a un comedor para indigentes, etc.

Escoja una idea y comprométase a cumplirla por varias semanas. Si frecuenta un grupo de estudio, notifique los resultados. ¿Cómo respondieron los receptores? ¿Cómo se sintió usted? ¿Pudo usted hablar de alguna manera su fe en Dios? Si es así, ¿qué sucedió?

Considere también la posibilidad de comenzar una «campaña de bendición» en su iglesia u organización. Anime a todos a repartir pequeñas bendiciones sobre personas o grupos no cristianos durante un tiempo señalado. Luego dedique un tiempo al testimonio para comentar los resultados y dar las gracias a Dios.

Ore por la paz

Israel suele aparecer en las noticias debido a sus necesidades, conflictos y logros. Coleccione artículos de periódico sobre Israel —con sus dificultades y sus victorias— consultando Internet, periódicos, revistas y otras fuentes. Dedique tiempo esta semana a orar por la paz de Jerusalén (Salmo 122:6). Oren también para que Dios levante cristianos que compartan el evangelio con los judíos, y para que muchos corazones se abran al Mesías.

Consulte el mapa

Además de orar por Israel, consulte el mapa de su país que preparó en la sesión 1. Interceda por los motivos de su quebrantamiento y pida a Dios que aumente sus bendiciones. Haga notas y recortes sobre los progresos o retrocesos en las áreas de quebranto que hayan mencionado y oren por estos avances.

La próxima sesión: *Jesús ocupa el centro del plan redentor de Dios*

Jesús, el centro del plan de Dios

«Los planetas necesitan un sol que los sostenga en su órbita según el orden preestablecido por Dios, que les dé forma y sentido», afirma el autor y clérigo Walter Wangerin. También afirma que la historia necesita un centro, un punto de referencia. «Pero si el centro está vacío, no puede sostener nada. Las cosas se desintegran en el absurdo». Según la Biblia, el centro de la historia es Jesucristo —su vida y muerte en la cruz—. «El Creador coloca una cruz en el centro mismo de la historia humana para que lo ocupe para siempre», explica Wangerin. «La persona y la pasión de Jesucristo nos define; gracias a él nosotros [y su historia] ya no descendemos a la nada. Nos proponemos comenzar una perfecta unión con Dios».[4]

¿No son estas buenas nuevas? Con Jesús en el centro de la historia la vida tiene sentido, y las naciones esperanza. Esperamos vida eterna en el cielo —una vez muerto el cuerpo— y sanidad para nuestras vidas y naciones ahora.

En esta sesión descubriremos a Jesús como centro del plan redentor de Dios para el mundo. El sacrificio de su muerte en la cruz hizo posible que la humanidad caída recuperara su intimidad con Dios. Esto, a su vez, abrió la puerta a una sanidad sustancial en el resto de la creación. Desató las compuertas de la bendición y derramó sanidad sobre los individuos y las naciones.

PALABRAS CLAVES

Palabras antiguas, palabras poderosas

Pecado

Una persona peca cuando voluntariamente se aparta de la intención de Dios y desobedece sus mandamientos. El sustantivo pecado designa cualquier acción, actitud o pensamiento contrario a la voluntad o mandamientos revelados de Dios. Pecar es violar la ley de Dios. La Biblia declara que, por causa de la Caída, «todos han pecado» (Rom. 3:23). Es más, declara que, en la carne, estamos esclavizados al pecado (Rom. 6:16-18). Sin la obra redentora de Cristo en la cruz esta violación nos separa de una relación con un Dios santo y nos conduce a la destrucción y a la muerte eterna.

Expiar (expiación)

Expiar es reparar a quien se ha herido, ofendido o hecho enojar. Una expiación es un pago que se hace a alguien como compensación por el mal que se le ha infligido. La desobediencia a los mandamientos de Dios (el pecado) le ha ofendido y le ha causado enojo. En el Antiguo Testamento, Dios estableció un sistema de sacrificios con sangre para expiar la desobediencia del pueblo. En el Nuevo Testamento, Dios envió a su propio Hijo Jesús a morir en la cruz como sacrificio expiatorio definitivo y perfecto por nuestros pecados.

Reconciliar (reconciliación)

Reconciliarse con alguien es restaurar la amistad o el favor entre las partes después de un conflicto. La muerte expiatoria de Jesús en la cruz forjó una reconciliación entre Dios y su creación caída —restableció una relación que había sido interrumpida como consecuencia de la desobediencia y el pecado de los hombres.

VERSÍCULOS CLAVES

El reconciliador de todas las cosas

Porque a Dios le agradó habitar en él [Jesús] con toda su plenitud y, por medio de él, reconciliar consigo todas las cosas, tanto las que están en la tierra como las que están en el cielo, haciendo la paz mediante la sangre que derramó en la cruz.

—Colosenses 1:19-20 *(corchete del autor)*

1. ¿Qué dice este pasaje de Jesús? ¿Qué revela acerca de él?

    _____

    _____

    _____

2. ¿Por qué murió Jesús en la cruz?

    _____

    _____

    _____

3. ¿A qué alude la expresión «todas las cosas» en estos versículos?

    _____

    _____

    _____

4.   ¿Cómo se hizo posible la reconciliación entre Dios y «todas
     las cosas»?

     _____

     _____

     _____

     _____

     _____

INTUICIONES BÍBLICAS
¿Quién es Jesús?

Alguien dijo una vez que Jesucristo era, o bien el Hijo de Dios,
o el fraude más grande de la historia. Hoy, como en el pasado,
Jesús y su proclama de divinidad provocan fuertes reacciones. Su
vida suena a escándalo. «El escándalo de la cruz [y de Jesús] es
su ridiculez», comenta el autor Dan Allender. «Dios, el Creador
infinito, se da en perfecto sacrificio por amor de un alma humana
retorcida. Y no sólo muere, sino que se entrega en un espectáculo
público vergonzoso».[5]

Siglos atrás también pareció ridícula la promesa de Dios
a Israel. El Señor prometió bendecir a Israel —y por medio de
ésta a todas las naciones de la tierra—. Sin embargo, esta promesa dependía de la obediencia de Israel a los mandamientos
de Dios. Si los observaba, sería una nación modélica, próspera y
bendecida.

No obstante, debido a la naturaleza caída y pecaminosa de
la humanidad, Israel no fue capaz de obedecer a Dios. El pueblo
volvió repetidamente las espaldas a Dios y adoró a los ídolos. En
consecuencia tuvieron que soportar la ira y la disciplina de Dios.
A pesar de todo, en una de sus horas más oscuras como nación,
cuando Israel se había apartado tanto que no parecía haber ninguna esperanza de recuperación, el profeta Jeremías declaró estas
palabras consoladoras del Señor:

«Vienen días —afirma el SEÑOR—
en que haré un nuevo pacto
con el pueblo de Israel…»
«Este es el pacto que después de aquel tiempo haré
con el pueblo de Israel…
Pondré mi ley en su mente,
y la escribiré en su corazón.
Yo seré su Dios,
y ellos serán mi pueblo.
Ya no tendrá nadie que enseñar a su prójimo,
ni dirá nadie a su hermano: "¡Conoce al SEÑOR!",
porque todos, desde el más pequeño hasta el más
grande,
me conocerán…
Yo les perdonaré su iniquidad,
Y nunca más me acordaré de sus pecados».

—Jeremías 31:31-34

Dios sabía que debido a la naturaleza pecaminosa de la humanidad, Israel no podía guardar plenamente el acuerdo del pacto. No obstante, él es un Creador santo y perfecto cuya naturaleza aborrece el pecado (Jer. 44:4) y lo castiga (Rom. 1:18; 2:5-9).

Sin la expiación no sería posible la comunión con él. Por eso Dios estableció el sistema de sacrificios del Antiguo Testamento que derramaba la sangre de algunos animales para «hacer expiación» por los pecados del pueblo (Lev. 17:11). Al mismo tiempo, esos sacrificios apuntaban al futuro en que Dios perdonaría la maldad de la humanidad de una vez por todas. Él revelaría un nuevo capítulo en su gran plan redentor. Permitiría que las personas mantuvieran una relación correcta con su Creador. Él hizo esto posible a través de Jesucristo.

Jesús pagó el precio

Jesús, el Hijo de Dios, segunda persona de la Trinidad y Creador de todas las cosas (Juan 1:1-14; Col. 1:15, 16), se halla en el centro del plan de Dios para las naciones (Mar. 1:10-12; Juan 1:1-3; 3:16). Jesús cumplió la promesa de Dios profetizada por Jeremías. Consiguió algo que los sacrificios de animales nunca pudieron lograr: pagar el castigo por el pecado y la desobediencia y lograr una repercusión definitiva.

A través de la cruz, Dios nos reveló el terrible abismo de su odio al pecado y su insondable amor y compasión por su creación arruinada. Sacrificó la vida de su amado Hijo en favor del mundo. Algunas religiones falsas demandan el sacrificio de infantes a los dioses; pero en la cruz, Dios sacrificó a su Hijo por nosotros.

El Antiguo Testamento previó este acontecimiento. Recuerde a Abraham preparándose para sacrificar a su hijo Isaac, en Génesis 22. Le ató las manos, lo colocó en el altar y levantó el cuchillo. En el último momento Dios salvó la vida de Isaac proveyendo un carnero para el sacrificio en lugar de su hijo. Dos mil años después Dios proveyó otro sacrificio vicario, el «Cordero de Dios» que debía morir, no sólo en lugar de una persona, en una ocasión, sino de todas las personas y en todos los tiempos.

A través de su muerte vicaria en la cruz, Jesús satisfizo el castigo por nuestro pecado y proveyó una justicia que no podíamos conseguir por nosotros mismos. Dios derramó su ira contra la pecaminosidad humana en Jesús. Él padeció la muerte que nosotros merecíamos. Dios imputó de esta manera a su pueblo la justicia de Jesús. Cuando Dios nos mira, ve la perfecta obediencia de su Hijo. Por tanto, «los que confían en el Salvador comparecen delante de Dios, no sólo limpios de pecado, sino revestidos de la justicia inmaculada de Cristo».[6]

Aceptemos y vivamos el don

¿Qué nos queda por hacer? Simplemente aceptar el don maravilloso de la gracia, arrepentirnos del pecado, reconocer a Jesús como Salvador y recibir su sacrificio expiatorio y su justicia. El

apóstol Pablo resumió este proceso en un pasaje fundamental
para el evangelio:

> Pero ahora, sin la mediación de la ley, se ha mani-
> festado la justicia de Dios, de la que dan testimo-
> nio la ley y los profetas. Esta justicia de Dios llega,
> mediante la fe en Jesucristo, a todos los que creen.
> De hecho, no hay distinción, pues todos han pecado
> y están privados de la gloria de Dios, pero por su
> gracia son justificados gratuitamente mediante la
> redención que Cristo Jesús efectuó.
>
> —*Romanos 3:21-24*

Por medio de este sacrificio expiatorio, Jesús hizo de nuevo
posible la paz y la comunión con Dios. Una vez que esta relación fundamental con Dios fue restaurada ocurrió la posibilidad
de disfrutar una sanidad sustancial en las relaciones secundarias —con otras personas y con la creación—. Como declaró
el apóstol Pablo en el versículo clave de esta sesión: «Porque a
Dios le agradó…reconciliar consigo *todas las cosas*, tanto las que
están en la tierra como las que están en el cielo, haciendo la paz
mediante la sangre [de Cristo] que derramó en la cruz (Col. 1:19-
20, cursiva y corchete del autor).

Por medio de Cristo la humanidad entró en una nueva era
de la historia. La sangre derramada de Cristo es la clave para la
restauración de todas las cosas. La bendición de Dios a través
de Jesús se ha extendido hoy a todas las naciones de la tierra
llevando esperanza de sanidad y restauración. Las buenas nuevas
de Jesús han sido predicadas a los pueblos de muchas naciones, y
en todos los lugares donde se ha hecho, muchos han respondido.
Antes de que Dios corra la cortina de la historia, «una multitud
tomada de todas las naciones, tribus, pueblos y lenguas… tan
grande que nadie (podrá) contarla» (Apo. 7:9) será atraída a
Cristo. De este modo la descendencia de Abraham bendecirá a
todas las naciones.

PREGUNTAS DE DESCUBRIMIENTO
¿Qué le corresponde a usted?

Jesús murió por toda la humanidad. Esto significa que murió por usted. Dios sacrificó a su Hijo para hacer expiación por sus pecados y redimirle. Sírvase de las preguntas de estudio de esta sección para explorar aún más el acto redentor de Dios.

1. Comience leyendo Romanos 8:6-8. ¿Qué es incapaz de hacer un pecador?

    _____

    _____

    _____

2. Según Romanos 3:23, ¿quién es considerado pecador?

    _____

    _____

3. Según Romanos 2:5-11 y Efesios 2:1-3, ¿Qué consecuencias acarrea el pecado, esto es, la rebelión contra Dios?

    _____

    _____

4. Lea Efesios 2:4-5. Mientras aún éramos pecadores y enemigos de Dios, ¿qué hizo él por nosotros?

    _____

    _____

    _____

5. Según estos versículos, ¿qué logró la muerte de Jesucristo?

    _____

    _____

Romanos 8:1-4

_____

_____

_____

2 Corintios 5:21

_____

_____

Efesios 1:7

_____

_____

_____

Apocalipsis 1:5-6

_____

_____

_____

6. ¿Cuáles son los beneficios para los que aceptan la muerte vicaria de Cristo en la cruz como expiación por sus pecados?

_____

_____

_____

2 Corintios 5:17-19

_____

_____

Efesios 2:4-7

_____

_____

_____

7.   Busque Jeremías 31:31-34, Lucas 22:19-20, y Hebreos 10:1-18.
     Léalos detenidamente. Después, con sus propias palabras,
     establezca las diferencias entre el «antiguo pacto», en Éxodo
     6:6-7 y 19:3-6, y el «nuevo pacto», a los que se alude en estos
     pasajes. ¿Por qué era necesario el nuevo pacto?

     _____

     _____

     _____

     _____

8.   Tómese tiempo para orar y meditar en los siguientes pasajes
     que comentan los beneficios adicionales de nuestra salva-
     ción por medio de Jesús. ¿Cuál de estos beneficios son más
     importantes para usted? Subráyelos.

     _____

     _____

     _____

     Juan 3:16

     _____

     _____

     _____

     Romanos 8:1-4

     _____

     _____

     _____

     2 Corintios 5:17

     _____

     _____

     _____

     _____

Gálatas 3:26-29; 4:6-7

_____

_____

_____

Efesios 2:11-13, 19

_____

_____

_____

PUNTOS PARA RECORDAR
El hombre que marcó una diferencia

El verdadero obstáculo para el plan redentor de Dios para las naciones es el pecado del hombre.

Por medio de la cruz, Jesús pagó el castigo por el pecado y nos proveyó una justicia que no podíamos conseguir por nosotros mismos.

Cuando aceptamos este asombroso don de la expiación, nuestros pecados son perdonados y «olvidados» (véase Jeremías 31:34) y Cristo nos imputa su justicia.

Cuando Dios restaura nuestra relación fundamental con él, se abre una puerta para la sanidad y la restauración sustancial de toda la persona. También nos ofrece sanidad para nuestras relaciones secundarias con otros y con la creación.

La sanidad a través de la sangre derramada es comprehensiva, cubre todo lo que quedó arruinado tras la Caída.

PENSAMIENTOS FINALES
El reino perdurable de Cristo

Varios siglos antes del nacimiento de Cristo, el rey más poderoso de la tierra tuvo un sueño extraordinario y recurrente. Se llamaba Nabucodonosor y reinó sobre el vasto imperio babilónico. Soñó algo que lo perturbó mucho y exigió a los magos y encantadores de la corte que se lo interpretaran. Como se vieron incapaces de hacerlo, el rey llamó a un joven judío exiliado llamado Daniel, hombre sabio y temeroso de Dios que poseía una fe inquebrantable. Con la ayuda de Dios, Daniel fue capaz de interpretar el sueño que resultó ser una profecía acerca de un Rey venidero cuyo poder sobrepasaría incluso el del gran Nabucodonosor. Daniel 2:31-44 registra el momento emocionante en que el joven revela e interpreta el sueño.

> En su sueño, Su Majestad veía una estatua enorme de tamaño impresionante y de aspecto horrible. La cabeza de la estatua era de oro puro, el pecho y los brazos eran de plata, el vientre y los muslos eran de bronce, y las piernas eran de hierro, lo mismo que la mitad de los pies, en tanto que la otra mitad era de barro cocido. De pronto, y mientras Su Majestad contemplaba la estatua, una roca que nadie desprendió vino y golpeó los pies de hierro y barro de la estatua y los hizo pedazos. Con ellos se hicieron añicos el hierro y el barro, junto con el bronce, la plata y el oro. La estatua se hizo polvo como el que vuela en el verano cuando se trilla el trigo. El viento barrió con la estatua y no quedó ni rastro de ella. En cambio, la roca que dio contra la estatua se convirtió en una montaña enorme que llenó toda la tierra.
>
> Ese fue el sueño que tuvo Su Majestad y éste es su significado: Su majestad es rey entre los reyes; el Dios del cielo le ha dado el reino, el poder, la majestad y la gloria... ¡Su Majestad es la cabeza de oro! Después de Su Majestad surgirá otro reino de menor importancia [el imperio medo-persa]. Luego vendrá un tercer reino que será de bronce y dominará sobre toda la tierra [el imperio griego]. Finalmente vendrá un cuarto

reino sólido como el hierro. Y así como el hierro todo lo rompe, destroza y pulveriza, este cuarto reino hará polvo a los otros reinos [el imperio romano]…

En los días de estos reyes [romanos], el Dios del cielo establecerá un reino que jamás será destruido ni entregado a otro pueblo, sino que permanecerá para siempre y hará pedazos a todos estos reinos.

Corchetes del autor

Como seguidores de Jesucristo, nosotros somos súbditos de ese reino que durará para siempre. El mismo Jesús es la roca no cortada por manos humanas. Desde su muerte y resurrección —hace dos mil años— se han extendido su influencia y su poder por todo el mundo. En el día de hoy, millones de personas de muchas naciones declaran ser seguidores suyos y siguen esparciendo su fama. Su reino ciertamente ha crecido hasta formar una gran montaña que llena toda la tierra. Como dijo el profeta Isaías: «Se extenderán su soberanía y su paz y no tendrán fin» (Isa. 9:7). Su reino se acrecentará hasta que todos los reinos humanos sean sometidos y rindan lealtad al verdadero Rey de reyes. Efectivamente Jesús se destaca entre todos como el personaje más importante en la historia de la humanidad y como el centro del plan redentor de Dios.

APLICACIÓN PERSONAL

En sus propias palabras y vida

Antes de terminar esta sesión, medite en cómo el don divino del perdón afecta a su vida y a las naciones. Las siguientes preguntas pueden guiar sus pensamientos y conclusiones.

1. En sus propias palabras, comente por qué Jesús es el centro del plan redentor de Dios para las naciones y la creación.

   _____

   _____

2. Si Jesús es el centro de la redención de Dios, entonces es fundamental para los que lo aceptan como Salvador. ¿Cuáles podrían ser las características de alguien que coloca a Jesús en el centro de su vida? Mencione entre tres y cinco atributos.

    _____

    _____

    _____

3. De la lista de la pregunta 2, subraye una característica que ya exista en su vida. Subraye las características que más necesita desarrollar. ¿Cómo puede usted cultivar el atributo que ha subrayado?

    _____

    _____

    _____

4. ¿Cómo puede poner a Cristo en el centro de su vida de una manera cotidiana? Escriba algunas ideas prácticas y realistas.

    _____

    _____

    _____

5. Escriba una oración a Cristo, declarando lo que aprecia acerca de su sacrificio en la cruz y cómo le afecta a usted.

    _____

    _____

UNA RESPUESTA PRÁCTICA
Cristo en el centro

¿Qué efecto ha provocado en su nación la expiación de Cristo? ¿Cómo puede afectar en el futuro? Responda a estas preguntas completando una o varias de las siguientes actividades.

De acuerdo a sus conocimientos, o a los de su grupo, haga una cronología espiritual de su nación en el último siglo (o un periodo más largo si se prefiere). Responda luego a las siguientes preguntas:

¿Qué valores influyeron en su nación a lo largo de las décadas?

¿Qué grupos religiosos predominaron?

¿En qué afectó el cristianismo bíblico a su nación, si es que ésta fue afectada?

No se preocupe si la cronología no es exacta. Se puede redondear a mano y representar sus «estimaciones».

¿Dónde está Cristo hoy?

Ojeando la cronología, considere las siguientes preguntas:

¿Cómo describiría usted la historia de su nación con Cristo?

¿Qué relación tiene su nación con Cristo hoy?

¿Pone su nación a Cristo en el centro? ¿Por qué, o por qué no?

Escriba sus respuestas en la cronología. Puede colocar la cronología junto al mapa elaborado en la sesión 1. Esto proporcionará una vista más comprensiva de las necesidades espirituales y de otro tipo y servirá de recordatorio cuando trabaje en las próximas sesiones.

Ore por...

Siga orando por su nación acudiendo al mapa de la sesión 1 y a la cronología que acaba de confeccionar. Concéntrese en la necesidad de su nación de poner a Cristo en el centro de su vida y su futuro.

La próxima sesión: *la función actual de la Iglesia en el plan redentor de Dios*

El propósito de Dios para la Iglesia

La prisión-hospital de Insook —cárcel famosa— está situada en las afueras de una populosa ciudad del sudeste de Asia. El hospital admite prisioneros que padecen diversas enfermedades, pero apenas atiende a sus necesidades básicas y virtualmente no les ofrece ningún tratamiento. Bajo su techo, las enfermedades normalmente se agravan.

A principios de 1999, el doctor Chitko Aung, médico de cabecera y Martha Nyut, enfermera dentista (nombres ficticios), sintieron que el Señor les llamaba a ese lugar olvidado. Movilizaron a un grupo de voluntarios de una iglesia local que estuvo dispuesto a limpiar el hospital y ministrar a los prisioneros. El médico y la enfermera visitaron al director de la prisión y le expusieron su plan. Éste reaccionó con perplejidad ante la insólita petición, pero aceptó a regañadientes concederles permiso, aunque advirtió a los voluntarios que no hablaran acerca de su fe cristiana.

Cuando los miembros de la iglesia llegaron al hospital, el ambiente deplorable y la hediondez les aplastaron. Los pabellones estaban muy sucios y parecía que los baños nunca se habían limpiado. Los obreros sólo pudieron soportar por una hora aquel olor pestilente. A pesar de ello, el grupo regresó repetidamente con materiales de limpieza y fregaron el edificio. El médico y la enfermera atendieron también a las necesidades sanitarias, pero no hablaron con los prisioneros acerca de su fe.

La dirección y el personal de la cárcel quedaron tan impresionados que les invitaron a volver cuando quisieran a limpiar los pabellones y a atender a los presos. También concedieron a los voluntarios permiso para hablar con libertad acerca de Jesús. Mediante un amor incondicional, estos cristianos llevaron esperanza y sanidad a un rincón olvidado y abandonado de su sociedad.

Cuando la Iglesia apareció hace dos mil años, manifestó su fuerza revolucionaria en la sociedad, sus miembros llevaron a la práctica cotidiana un concepto sorprendente. Los cristianos hablaban de un Dios que amaba a su pueblo y se sacrificaba por él. A cambio, sus seguidores demostraban su amor los unos por los otros y por los demás mediante el sacrificio personal. Tal misericordia y compasión, especialmente para con los extraños, no tenía precedente. A lo largo de los siglos, dondequiera que la Iglesia vivía este concepto, naciones enteras eran influidas por el amor de Cristo.

En esta sesión, examinaremos cómo Dios levantó a la Iglesia para ser su principal agente portador de redención, bendición y sanidad a las naciones.

PALABRAS CLAVES
¿Qué es la Iglesia?

Iglesia

En el Nuevo Testamento, la palabra griega ecclesia se traduce como iglesia y significa «asamblea». La misma palabra se usa para designar a la Iglesia universal y a la congregación local.

En el sentido universal, la Iglesia es un grupo viviente, extendido por todo el mundo, de personas redimidas que han puesto su fe en Cristo para recibir el perdón de los pecados y han sido adoptadas como hijos de Dios (Efe. 1:22-23; 4:4-6).

En un sentido restringido, los autores del Nuevo Testamento suelen hacer referencia a congregaciones locales concretas, tal como la iglesia de Jerusalén (Hechos 8:1). Las iglesias locales son expresiones comunitarias de la Iglesia universal. Estas iglesias se reúnen regularmente para dar culto a Dios y tener comunión unos con otros. Las iglesias locales son, en los lugares donde se reúnen, representaciones a pequeña escala de la Iglesia universal.

VERSÍCULOS CLAVES

Un pueblo escogido, una nación santa

Pero ustedes son linaje escogido, real sacerdocio, nación santa, pueblo que pertenece a Dios, para que proclamen las obras maravillosas de aquel que los llamó de las tinieblas a su luz admirable. Ustedes antes ni siquiera eran pueblo, pero ahora son pueblo de Dios; antes no habían recibido misericordia, pero ahora ya la han recibido.

—*1 Pedro 2:9-10*

1. En Éxodo 19:5-6, Dios habla a Moisés acerca de Israel. ¿Cuáles son la similitudes entre este pasaje del Antiguo Testamento y la declaración de 1 Pedro 2:9-10, en el Nuevo? Menciónelas.

_____

_____

2. Pedro, seguidor de Cristo y judío, se dirigió a los gentiles, llamándoles «pueblo de Dios». ¿Por qué fue importante esta

designación? Consulte la promesa de Dios a los israelitas, en
Éxodo 6:7, para obtener una mejor perspectiva.

_____

_____

_____

3. En el pasaje de arriba, Pedro asegura que Dios bendijo a los
    gentiles para un propósito. ¿Cuál fue ese propósito?

_____

_____

_____

4. ¿Cómo se relaciona este propósito con el plan redentor de
    Dios para las naciones?

_____

_____

_____

INTUICIONES BÍBLICAS

Construyamos una nueva especie de nación

Después de que Jesús muriera en la cruz y resucitara, estableció
a su Iglesia para llevar a cabo la redención de Dios en todas las
naciones. Levantó a su Iglesia como un pueblo nuevo y santo
—sin igual en el mundo—. Sus miembros no se identificaban
por una etnia común o una localización geográfica. La Iglesia
se componía más bien de gentes de todo el mundo que habían
puesto su confianza en Jesucristo.

El Nuevo Testamento describe a la Iglesia como una extensión
de Israel, el pueblo escogido de Dios en el Antiguo Testamento. El
Señor extendió la frontera de Israel más allá de la descendencia de
sangre de Abraham. Mediante la fe en Cristo, los creyentes gentiles

se incorporaron al pacto de la promesa. El apóstol Pablo explicó este proceso sobrenatural recurriendo a la figura de un edificio:

> Porque Cristo es nuestra paz: de los dos pueblos ha hecho uno solo, derribando mediante su sacrificio el muro de enemistad... Esto lo hizo para crear en sí mismo de los dos pueblos una nueva humanidad al hacer la paz...
>
> Por lo tanto, ustedes ya no son extraños ni extranjeros, sino conciudadanos de los santos y miembros de la familia de Dios, edificados sobre el fundamento de los apóstoles y los profetas, siendo Cristo mismo la piedra angular. En él todo el edificio, bien armado, se va levantando para llegar a ser un templo santo en el Señor. En él también ustedes son edificados juntamente para ser morada de Dios por su Espíritu.
>
> —*Efesios 2:14-22*

La promesa divina de bendecir a todas las naciones por medio de la Iglesia sigue en pie. Cuando Jesús concluyó su tiempo en la tierra, instruyó a un pequeño grupo de seguidores y fundadores de la Iglesia, acerca de su responsabilidad. Estas instrucciones aparecen en la Gran Comisión, registrada en Mateo 28:18-20. Con esta Comisión, Jesús manda a sus discípulos —entonces y ahora— a «hacer discípulos de todas las naciones» (vers. 19).

Es importante notar las similitudes entre la Gran Comisión de Jesús a sus discípulos y la promesa de Dios a Abraham, en Génesis 12:1-3. Ambos conjuntos de instrucciones se centran en las naciones. Lo mismo que a Israel, Dios escogió a la Iglesia para servir a las naciones y él ha trabajado mediante este cuerpo de creyentes por dos mil años.

La contribución de la Iglesia a la historia ha sido imperfecta, lo mismo que la de Israel. La Iglesia es incluso responsable de varias atrocidades. Las cruzadas de los siglos XI, XII y XIII, que destruyeron y llenaron de rencor a muchos musulmanes, fueron emprendidas equivocadamente en el nombre de Cristo. La Inquisición fue creada por la Iglesia para desarraigar a los herejes; al principio, mediante «averiguaciones». En el siglo XV, había degenerado en la forma más infame y violenta, y más adelante operaría en buena parte de Europa y Latinoamérica. El antisemitismo europeo a través de los siglos fue justificado por una interpretación errónea del Nuevo Testamento. Además, muchos conflictos religiosos tuvieron causas políticas y religiosas, como el amargo conflicto entre protestantes y católicos, en Irlanda.

Pese a la imperfección y el fracaso de la Iglesia, Dios sigue actuando en ella para extender sanidad, esperanza y redención a las naciones. Y a pesar de los fracasos de la Iglesia, muchos cristianos han observado fielmente las enseñanzas de Cristo. En consecuencia, los siglos también retumban con el eco de las «buenas obras» que Jesús ejemplificó y el apóstol Pablo estimuló en los creyentes (Efe. 2:10). El apóstol Santiago también advirtió a los cristianos que la fe sin obras está muerta (Santiago 2:14:26), y aunque las buenas obras no dan acceso a la salvación, son la consecuencia natural del amor y la obediencia a Dios.

Cuando los cristianos han observado las enseñanzas bíblicas, la vida y la evangelización de la Iglesia han influido profundamente en el mundo. Por ejemplo:

La Iglesia es el principal vehículo propagador del evangelio. Ha predicado el mensaje de la obra acabada de Cristo para nuestra salvación. A través de muchas generaciones, las personas han hallado nueva vida en Cristo mediante el testimonio de las iglesias locales y de las iniciativas misioneras.

La Iglesia es agente de la compasión de Dios. En la condición caída de la raza humana, es común la crueldad. A lo largo de la historia la gente ha practicado la crueldad tanto por descuido como por maquinación. En este mundo depravado, la Iglesia ha practicado el mandato de Cristo «ama a tu prójimo como a ti mismo» (Marcos 12:31). Ha manifestado la compasión de Dios fundando hospitales, casas de asistencia, comedores, orfanatos, programas de alfabetización, escuelas técnicas y otros ministerios para ayudar a los pobres y los desposeídos.

La Iglesia fomenta la sacralización de la vida humana. La Iglesia sabe que Dios crea toda vida humana a su imagen; por lo tanto, cree que la vida humana es sagrada y que todos los individuos, no importa su condición, tienen una importancia eterna. La Iglesia casi siempre ha tomado partido por los pobres y los marginados. Ha condenado el infanticidio y el aborto. A pesar del sometimiento no bíblico de pueblos y mujeres por algunos cristianos a lo largo de la historia, la Iglesia ha promocionado la dignidad de las mujeres y ha sido un instrumento para luchar contra la esclavitud y el prejuicio racial, conforme a la verdadera enseñanza de Cristo.

La Iglesia distribuye la Palabra de Dios por todo el mundo. Ha traducido la Biblia a miles de lenguas. La Iglesia también ha trabajado por una educación universal, de manera que, tanto los campesinos como los clérigos puedan leer la Palabra de Dios por ellos mismos. Gracias a la Iglesia, se establecieron las escuelas por todo el mundo.

La Iglesia cree que el trabajo es sagrado. Reconoce la dignidad del trabajo. La ética del trabajo que surgió de la Reforma Protestante inició una transformación que produjo el sistema de libre mercado y sacó a las naciones de la pobreza.

La Iglesia ayudó a iniciar la ciencia y la tecnología modernas. Éstas nacieron a partir de su cosmovisión bíblica. Muchos fundadores de la ciencia moderna fueron devotos hombres de fe. Los primeros científicos comprendieron que Dios se revela a sí mismo en la creación y a través de las Escrituras. De modo que examinaron la creación para conocer mejor al Creador. Ellos creyeron que la creación es claramente racional y presenta un orden porque el propio Creador es un Dios ordenado (Isa. 45:18-19), y que las personas, hechas a su imagen, pueden aplicar la creatividad y la innovación a un cosmos ordenado.

Esta libertad de investigación abrió la puerta a muchos descubrimientos e innovaciones. Se descubrieron medicinas para salvar vidas. Nuevas modalidades agrícolas incrementaron la producción de alimentos y ayudaron a mitigar los efectos de los desastres naturales, como las sequías o las inundaciones.

La Iglesia contribuyó a la reforma política. Conceptos bíblicos recuperados acerca de la naturaleza caída, pecaminosa del hombre y del sacerdocio de todos los creyentes y un nuevo entendimiento de las leyes de Dios condujeron a los cristianos a crear nuevas estructuras políticas durante la Reforma —estructuras que diseminaron el poder, tanto en las iglesias como en la sociedad civil—. Los cristianos creyeron que todas las leyes legítimas procedían de Dios, y que los reyes y gobernadores terrenales estaban bajo su autoridad y eran responsables ante su ley eterna y trascendente. Enseñaron que la «ley es el rey». Es decir, tanto los reyes como sus súbditos estaban sujetos a las leyes de su nación. La aplicación legal de los principios bíblicos contribuyó a promover un gran movimiento de libertad y de justicia.

Estas y otras acciones ilustran los dones de Dios a las naciones a través de la Iglesia, pero no es una historia exhaustiva. Al final de los siglos, todas las naciones serán bendecidas a través de la Iglesia. Lo mejor está aún por llegar.

PREGUNTAS DE DESCUBRIMIENTO
Un reino de sacerdotes

Abra su Biblia para leer más detenidamente acerca de la Iglesia. Responda luego a las siguientes preguntas acerca de su función en el mundo.

1. Lea Gálatas 3:26-29 y Efesios 2:11-20; 3:6. En estos pasajes, el apóstol Pablo explica que los gentiles son ahora «simiente

de Abraham» y «coherederos con Israel...en la promesa en Cristo Jesús» ¿Cómo se ganaron estos privilegios?

_____

_____

_____

2. Un sacerdote es alguien que sirve como mediador entre Dios y la humanidad. Teniendo esto en mente, vuelva a Éxodo 19:6 y Apocalipsis 5:9-10. ¿Quiénes constituyen un «reino de sacerdotes», según estos pasajes? ¿Por qué se les concedió este título?

_____

_____

_____

3. ¿Cómo puede la función sacerdotal de la Iglesia contribuir al plan redentor de Dios para las naciones? Examínense los versículos claves de esta sesión, 1 Pedro 2:9-10.

_____

_____

_____

4. Lea los siguientes versículos. ¿Cómo se define a la Iglesia en cada uno de ellos? ¿Qué es para usted lo más significativo y por qué?

_____

_____

_____

Juan 10:14-16

_____

_____

_____

Gálatas 6:14-16

_____

_____

_____

Efesios 1:22-23

_____

_____

_____

Efesios 2:19-22

_____

_____

_____

Efesios 3:14-19

_____

_____

1 Pedro 2:9

_____

_____

Apocalipsis 19:7-8

_____

_____

5. Lea 1 Corintios 12:4-28 y Efesios 4:10-13. ¿Cuál es la fuente de la unidad en la Iglesia? ¿Dónde se puede observar diversidad en la Iglesia?

_____

_____

_____

6. De lo estudiado en esta sesión, ¿cómo debe funcionar la Iglesia?

_____

_____

_____

_____

PUNTOS PARA RECORDAR
Repaso de la Iglesia

Dios estableció un nuevo pacto mediante la sangre de Cristo derramada en la cruz. Mediante su pacto, la nueva «nación escogida» es la Iglesia.

La Iglesia avanza el plan redentor de Dios, llevando esperanza y bendición a todas las naciones.

Además de compartir el evangelio con las naciones, la Iglesia ha servido de muchas maneras para influenciar y mejorar el mundo.

PENSAMIENTOS FINALES
Un poderoso agente de cambio

A pesar de sus imperfecciones y fracasos, las iglesias locales son más estratégicas para la transformación de una sociedad que sus líderes, presidente, legisladores, empresarios, educadores, o científicos. Esto es así porque Dios ha bendecido de manera especial a la iglesia local para llevar a cabo su plan de redención y sanidad a las naciones.

Para que ocurra esta transformación, no basta la mera presencia física de las iglesias. Cada iglesia local debe comprender su función y llevar osadamente la verdad de Dios a todas las esferas de la sociedad. Una iglesia puede enseñar a sus miembros a ser buenos ciudadanos y líderes. Estas personas pueden, a su vez, influenciar familias, comunidades y naciones para el reino de Dios.

A menos que las iglesias locales discipulen a los suyos para ser «sal y luz» (Mat. 5:13-16) en esas esferas, las naciones no serán discipuladas. ¿Cómo se va a incorporar usted a esta gran y trascendental comisión?

APLICACIÓN PERSONAL
Usted y su Iglesia local

Resulta útil reconocer los propios sentimientos acerca de la Iglesia y su congregación local antes de trabajar en ellas. Aproveche las siguientes preguntas para reflexionar en su relación con su iglesia local.

1. ¿Qué valora usted de la Iglesia universal en general?
   _____
   _____

2. ¿Qué siente usted acerca de la historia imperfecta de la Iglesia? ¿Y de sus buenas obras? ¿Por qué?
   _____
   _____

3. ¿Qué aprecia usted de su iglesia local? ¿Qué le frustra? ¿Por qué?
   _____
   _____
   _____

4. ¿Pertenece usted a una iglesia local? Si es así, ¿cómo la describiría?
   _____
   _____
   _____

5. ¿Cuáles son las virtudes y las debilidades de su iglesia local?
    _____
    _____
    _____

6. ¿Cómo describiría la actitud de su iglesia en relación a su implicación en la vida comunitaria? ¿Y en cuanto a la evangelización de las naciones?
    _____
    _____
    _____

7. ¿Hay algo en su iglesia local que le impida participar en la evangelización de su comunidad? Si es así, ¿Cómo puede vencer tales obstáculos?
    _____
    _____
    _____

8. ¿Qué aspectos positivos de su iglesia local le animan a evangelizar a su comunidad y el mundo?
    _____
    _____

UNA RESPUESTA BÍBLICA
Bendiga su comunidad

Este estudio subraya que la Iglesia es el principal agente que Dios ha dispuesto para el avance de su plan redentor y llevar esperanza y bendición a las naciones. Personalice la siguiente declaración: *La iglesia local a la que asisto es el principal agente que Dios ha dispuesto para el avance de su plan redentor y llevar esperanza y bendición a mi comunidad.*

Siga con esta idea y responda a las siguientes preguntas.

1. ¿Comprende el liderazgo de su congregación la función de
    la iglesia local en su comunidad? Si es así, ¿cómo lo sabe? Si
    no, ¿cómo puede ayudarles a entender esto?

    _____

    _____

    _____

2. Piense en su comunidad. ¿Qué áreas están especialmente
    deterioradas? ¿Son comparables estas áreas al deterioro de
    su nación? (Examine la lista de la sesión 1)

    _____

    _____

    _____

3. Considere su implicación en la iglesia local. Mencione tres o
    cuatro cosas que usted o su familia podría hacer a través de
    la iglesia para ministrar a las necesidades de su comunidad.

    _____

    _____

    _____

4. Escoja una cosa de la pregunta 3 que le gustaría hacer.
    Escríbala abajo. Esta semana, pida a Dios cómo poner en
    práctica esta actividad.

    _____

    _____

    _____

La próxima sesión: *la gloria de las naciones*

La gloria de las naciones

El pastor de una pequeña iglesia de Beira, Mozambique, se sintió invadido por la melancolía delante de su púlpito, torpemente labrado. Miró a la congregación. Sus cansados rostros se mostraban pálidamente iluminados a la luz de una humilde vela que ardía cerca del altar. Los miembros de su iglesia se reunían en el lúgubre sótano de un viejo y destartalado edificio colonial. No tenía electricidad, tan sólo un frío suelo de barro bajo los pies. Los huecos de las ventanas carecían de cristales. Nada amortiguaba el ruido de la bulliciosa calle durante la reunión nocturna de oración del miércoles.

El pastor puso fin a la reunión evocando el pasaje bíblico que antes habían leído. Se trataba de Apocalipsis 21:22-27, que predice la riqueza y el honor de las naciones llevadas a la nueva Jerusalén al fin de este siglo. Se preguntó: *¿qué significan la riqueza y el honor de esta nación?*

En su opinión, Mozambique era una nación pobre, y probablemente siempre lo sería. Su país rebosaba tristeza y sueños rotos. No hacía mucho, la nación se había liberado de la colonización portuguesa, para, poco después, sufrir una terrible guerra civil. Otras naciones eran bendecidas —de las cuales, él sólo había oído hablar— pero esta nación no lo era. Estaba muy lejos de serlo.

De súbito, el pastor recordó que Dios había prometido que una nación de esclavos, pobre y quebrantada —Israel— bendeciría al mundo. *¿Le estaba animando Dios, recordándole cosas que estaban por venir?* Su espíritu se encendió. *Después de todo, tal vez Dios tuviera un plan para Mozambique, un plan que bendijera a esta nación doliente...y quizá esta pequeña iglesia fuera parte de ese plan.* La posibilidad hizo resplandecer esperanza en su corazón. Sonrió al inclinar la cabeza para orar.

En esta sesión, vislumbraremos las bendiciones que Dios tiene guardadas para las naciones cuando él regrese a la tierra y el papel que jugaremos en ese plan.

PALABRAS CLAVES

Un futuro nuevo y mejor

Revelación

Una revelación, desvela o pone a la luz algo previamente escondido. A lo largo de la historia, Dios reveló sobrenaturalmente a los seres humanos muchas cosas acerca de sí mismo, sus propósitos y sus planes. Bajo la dirección del Espíritu Santo, los hombres registraron esta información en los libros de la Biblia.

La revelación de Juan, también conocida como Apocalipsis, es el único libro del Nuevo Testamento que se centra enteramente en acontecimientos futuros. Estas profecías serán cumplidas al final de los tiempos, cuando Cristo regrese, evento que se conoce como la Segunda Venida. El Apocalipsis fue escrito por el apóstol Juan.

La nueva Jerusalén

La «nueva Jerusalén» o la «Jerusalén celestial» se menciona tres veces en el Nuevo Testamento (Heb. 12:22; Apo. 3:12; 21:2). (En el pasaje de Hebreos también se denomina «Monte Sión».) Alude a la morada celestial de Dios, o al trono de Cristo, el Rey. El Apocalipsis describe la Jerusalén celestial como el lugar de la presencia de Dios.

La nueva Jerusalén también recuerda a la ciudad homónima, en la tierra de Israel. Esta ciudad ha disfrutado de una importancia histórica y espiritual desde los días de Abraham, en los que se llamaba Salem, «la ciudad de la paz». Dios hizo su famoso pacto con Abraham cerca de este lugar. Más tarde, Jerusalén llegaría a ser capital de la nación judía y hogar del templo, un lugar santo de culto a Dios. Este templo terrenal sirvió de «tipo» o modelo del verdadero y permanente templo de Dios en el cielo.

VERSÍCULOS CLAVES
Una vislumbre de la gloria

Después de esto miré, y apareció una multitud tomada de todas las naciones, tribus, pueblos y lenguas; era tan grande que nadie podía contarla. Estaban de pie delante del trono y del Cordero, vestidos de túnicas blancas y con ramas en la palma de la mano. Gritaban a gran voz:
«La salvación viene de nuestro Dios,
que está sentado en el trono,
y del Cordero».

—*Apocalipsis 7:9-10*

Por eso,
están delante del trono de Dios,
y día y noche le sirven en su templo;
y el que está sentado en el trono
les dará refugio en su santuario.

Ya no sufrirán hambre ni sed.
No los abatirá el sol ni ningún
calor abrasador.
Porque el Cordero que está en el trono
los pastoreará
y los guiará a fuentes de agua viva;
y Dios les enjugará toda lágrima de sus ojos.
—Apocalipsis 7:15-17

1. Estos versículos de Apocalipsis miran hacia el futuro. Después del retorno de Jesús, ¿quién estará «de pie delante del trono y del Cordero» (vers. 9)?

   _____

   _____

2. La multitud, en Apocalipsis 7:9-10, vestía túnicas blancas. Lea Isaías 1:18 y Apocalipsis 19:6-8. Después, en sus propias palabras, defina qué significan estas túnicas.

   _____

   _____

3. ¿Qué palabras se usan para describir a Jesús en los versículos antes mencionados y en Apocalipsis 22:12-21? ¿Por qué es importante cada una de ellas?

   _____

   _____

4. Teniendo en cuenta los versículos que ha leído en esta sección, ¿qué bendiciones especiales disfrutarán las naciones después del retorno de Jesús?

   _____

   _____

   _____

INTUICIONES BÍBLICAS

Un matrimonio por el que merece la pena esperar

Cuando un hombre y una mujer se aman verdaderamente, sienten un gran deseo de casarse. La Biblia enseña que, cuando Cristo regrese, entre otras cosas ¡vendrá para celebrar su desposorio! El libro de Apocalipsis describe estas bodas. Jesús es el esposo y la Iglesia es su esposa muy amada (la novia de Cristo). La Iglesia es posesión muy estimada de Dios, y nosotros podemos anticipar gozosamente la llegada cierta del novio.

> ¡Aleluya!
> Ya ha comenzado a reinar el Señor,
> nuestro Dios todopoderoso.
> ¡Alegrémonos y regocijémonos
> y démosle gloria!
> Ya ha llegado el día de las bodas
> del Cordero.
> Su novia se ha preparado,
> y se le ha concedido vestirse
> de lino fino, limpio y resplandeciente.
> (El lino fino representa las acciones justas de los
> santos.)
> —*Apocalipsis 19:6-8*

En muchas culturas, la costumbre dicta que el novio ha entregar una dote al padre de la novia para asegurar su matrimonio. La dote es normalmente un regalo costoso o cierta suma de dinero. Jesús también satisfizo una dote para asegurar nuestro desposorio con él. El apóstol Pedro describió el precio que él pagó: «Como bien saben, ustedes fueron rescatados de la vida absurda que heredaron de sus antepasados. El precio de su rescate no se pagó con cosas perecederas, como el oro o la plata, sino con la preciosa sangre de Cristo, como de un Cordero sin mancha y sin defecto» (1 Pedro 1:18-19). Cristo nos amó tanto que sacrificó su vida para pedir nuestra mano en matrimonio.

Es también común el que una novia dedique bastante tiempo a preparar su boda. Del mismo modo, la Iglesia se puede preparar para el día de su casamiento.

Su vestido nupcial, tejido de «lino fino, limpio y resplandeciente» es las «acciones justas de los santos» (Apo. 19:8). Todo acto de justicia que el pueblo de Dios lleva a cabo —ya sea compartir su fe, alimentar al hambriento, dar cobijo al sin techo, vestir al desnudo, cuidar al enfermo o visitar al encarcelado (Mat. 25:31-46)— añade otro hilo brillante a ese vestido nupcial.

La luz de la gloria reflejada

Más adelante, el autor del libro de Apocalipsis declara que los reyes llevarán el esplendor, la gloria y el honor de las naciones a la Jerusalén celestial. Ellas se maravillarán a la luz de la faz de Dios.

> No vi ningún templo en la ciudad, porque el Señor Dios Todopoderoso y el Cordero son su templo. La ciudad no necesita sol ni luna que la alumbren, porque la gloria de Dios la ilumina, y el Cordero es su lumbrera. Las naciones caminarán a la luz de la ciudad, y los reyes de la tierra le entregarán sus espléndidas riquezas. Sus puertas estarán abiertas todo el día, pues allí no habrá noche. Y llevarán a ella todas las riquezas y el honor de las naciones.
>
> —Apocalipsis 21:22-26

Cristo encomendó a la Iglesia el hacer discípulos de todas las naciones para que la gloria y el honor de cada una de ellas pudieran ser presentadas ante el Padre. El propósito final de la historia y el destino de las naciones es honrar y glorificar a Dios. La Caída las distorsionó. No obstante, bajo el pecado, la injusticia, la corrupción y la idolatría, un remanente especial de magnificencia y esplendor resplandecerá en la gloria de Dios. La gloria de cada nación será gloria reflejada. Lo mismo que la luna refleja la luz del sol, así también cada nación reflejará de un modo singular la gloria de Dios.

El propósito divino de cada persona se cumplirá cuando éstas vivan en amistad con Dios y obedezcan sus mandamientos. Lo mismo ocurre con las naciones. El propósito divino de las naciones se manifiesta en tanto éstas se conforman a la voluntad de Dios, ya sea en la esfera de la ley, las artes, la educación o el gobierno. Las personas que siguen sus caminos tendrán abundancia de su presencia en el cielo.

PREGUNTAS DE DESCUBRIMIENTO
En la presencia de Dios

Abra su Biblia para leer más acerca de la nación que estará de pie delante de la presencia de Dios. ¡El cielo y sus moradores serán todo un espectáculo! ¿Puede imaginárselo? Lea el Salmo 47:1-2, el Salmo 67:3-4, el Salmo 117 y Apocalipsis 15:2-4. Responda luego a las siguientes preguntas.

1. Al final de los tiempos, ¿quién se reunirá en la presencia de Jesús, el Rey?

   _____

   _____

   _____

   _____

2. Según Apocalipsis 15:2-4, ¿qué harán?

   _____

   _____

   _____

   _____

3. ¿Qué efecto tendrá el plan redentor de Dios, que abarca toda la historia?

_____

_____

_____

_____

4. Lea Isaías 60:1-7 y Apocalipsis 21:22-27. ¿Qué llevarán los reyes de la tierra a la presencia de Cristo el Rey?

_____

_____

_____

_____

PUNTOS PARA RECORDAR

Al final de los tiempos

El propósito final de la historia y el destino de las naciones es dar gloria y honor a Dios.

Al final de los tiempos, una gran multitud de toda nación, tribu, pueblo y lengua estará de pie delante del trono de Jesús, en la nueva Jerusalén.

En ese tiempo, Cristo gobernará sobre las naciones. Los redimidos verán su gloria, le adorarán y le alabarán.

Todo acto de justicia que realicemos, añade un blanco hilo resplandeciente al vestido nupcial que exhibiremos como esposa de Cristo.

Dios quiere bendecir a todas las naciones, para que al final de los tiempos, se manifiesten el honor y la gloria singular de cada una de ellas.

Una nación manifiesta su honor y su gloria a medida que se conforma a la verdad de Dios en todas las esferas de la vida.

PENSAMIENTOS FINALES

Nuestra tarea presente

En su Gran Comisión (Mat. 28:18-20), Cristo encomendó a su Iglesia: «vayan y hagan discípulos de todas las naciones...enseñándoles a obedecer todo lo que les he mandado a ustedes». Desgraciadamente, muchos cristianos tienen hoy una visión estrecha y fragmentada de esta tarea. En vez de procurar la sanidad comprehensiva de las naciones mediante una implicación amorosa y activa en la sociedad, gran parte de la Iglesia se mantiene desconectada, al margen de la cultura que le rodea. En consecuencia, muchas iglesias se han debilitado, están anémicas y son incapaces de influenciar o moldear eficazmente a su nación.

No obstante, las promesas de Dios son verdaderas. Las naciones serán bendecidas por medio de la Iglesia, y se manifestarán la gloria y el honor singulares de cada nación. La cuestión es si la Iglesia de esta generación será fiel a este mandato. ¿Extenderá la bendición de Dios a las naciones? ¡Dios quiera que la respuesta sea un resonante sí!

APLICACIÓN PERSONAL

Eternidad en su corazón

Un pasaje conmovedor del antiguo libro de Eclesiastés afirma: «Dios hizo todo hermoso en su momento, y puso en la mente humana el sentido del tiempo, aun cuando el hombre no alcanza a comprender la obra que Dios realiza de principio a fin (3:11). Aunque no sabemos mucho acerca de los últimos tiempos —ni siquiera entendemos todo lo que nos ha sido revelado—, portamos la eternidad en nuestros corazones. Anhelamos instintivamente algo más allá de nuestras vidas y cuerpos terrenales.

Sírvase de las siguientes preguntas para reflexionar en lo que hay en su corazón y en cómo los últimos tiempos pueden influenciar su vida y su vocación.

1. En una escala de 1 (poco interés) al 10 (máximo interés), ¿Cuánto se ha interesado usted en los últimos tiempos? ¿Por qué?

    _____

    _____

    _____

2. Usando la misma escala, ¿Cuánto se ha interesado usted por las naciones del mundo? ¿Por qué?

    _____

    _____

    _____

3. Piense en los hechos presentados en esta sesión. ¿Le ha causado impresión o interés algo de lo tratado acerca de las naciones y los últimos tiempos? Si es así, ¿qué?

    _____

    _____

    _____

4. ¿Pueden estos hechos motivarle a evangelizar a las naciones?

    _____

    _____

    _____

5. ¿Qué puede obstaculizar su motivación?

    _____

    _____

    _____

6. ¿Cómo puede usted cultivar una pasión por las naciones, para que éstas puedan estar delante del trono de Dios al fin de los tiempos?

_____

_____

_____

_____

7. Para procurar seriamente la redención de las naciones (o de la suya), ¿le haría falta cambiar de actitudes y estilo de vida? ¿Qué le parece todo esto?

_____

_____

_____

_____

UNA RESPUESTA PRÁCTICA
Gloria perdurable

En esta sesión hemos visto que el destino último de las naciones es llevar gloria y honor a Dios. Para explorar cómo puede Dios llevar a cabo esto a través de los creyentes de su país, complete una o varias de las siguientes actividades.

La galería de la fama de su nación

Trace tres columnas verticales en una hoja de papel o en un tablero blanco. En el encabezamiento de la primera columna escriba «Fama». Luego pregúntese: «¿Por qué cosas positivas es famosa nuestra nación en el mundo?» Para confeccionar esta lista, considere las siguientes preguntas: ¿Tiene buena reputación su nación entre las demás? ¿Qué cualidades tienen las gentes de su nación? ¿Qué recursos naturales, productos, servicios o empresas artísticas produce su nación?

Escriba el título «Fe» para encabezar la columna central. Al lado de cada característica de la primera columna, sugiera cómo podría Dios usar esta cualidad para acercar a las personas a una fe en su salvación. Por ejemplo, si su nación produce excelente teatro, ¿qué se podría hacer? ¿Qué decir de los alimentos que produce?

En la tercera columna escriba el título «Futuro». Por cada cualidad famosa, describa el futuro si (a) se usara para la gloria de Cristo o (b) si no se viera influenciado por los valores de Dios.

Puede clavar el papel cerca del mapa y de otras listas confeccionadas en lecciones anteriores, para proporcionar una visión más comprehensiva de la personalidad de su nación.

De rodillas por una nación

En su grupo o en privado, oren por las cualidades de su nación mencionadas en la Galería de la Fama. Pida a Dios que se mueva entre los cristianos de su nación, haciendo que los temas de su lista de fe (o actividades correspondientes) lleguen a ser realidad.

Oren para ver cómo usted o su grupo pueden involucrarse.

Sigan orando por los asuntos de la lista confeccionada en la sesión 1.

Actúen en fe

Después del tiempo de oración, escoja una de las actividades de la columna de la fe. Consulte para ver cómo usted, o su grupo, pueden iniciar esta actividad. ¿Con quién podrían contactar? ¿De qué recursos disponen? ¿Qué recursos tendrían que adquirir? ¿Cuál podría ser su parte en el proyecto? Atrévanse a soñar a lo grande. Dispónganse luego a atravesar las puertas que Dios pueda abrir.

Una pasión por los pueblos

Si el tiempo lo permite, con el grupo o en privado, complete una galería de la fama para otra nación que necesite poner a Cristo en el centro de su vida.

La próxima sesión: *El mandato de Cristo de hacer discípulos de todas las naciones*

Nuestra misión de discipular a las naciones

El 6 de abril de 1994, fue derribado un avión en pleno vuelo, cayendo asesinados los presidentes de las naciones de Burundi y Ruanda. El ataque fue la chispa que prendió el incendio del masivo genocidio ruandés en el que murieron 800.000 personas en cuatro meses.[7] Otros dos millones tuvieron que buscar refugio fuera del país. La brutalidad del conflicto entre las tribus hutu y tutsi fue inimaginable para el resto del mundo. Se mataba a la gente una por una con lanzas y machetes. El vecino mataba al vecino. En la actualidad el nombre de Ruanda es sinónimo de genocidio.

Pero Ruanda ofrece también otra imagen. Es una nación que ha oído el evangelio. Durante la época del genocidio, la mayor parte del pueblo asistía a las iglesias cristianas.[8] Entonces, ¿qué es lo que ocurrió? Aunque muchos ruandeses se habían convertido al cristianismo, las verdades básicas de la Escritura no habían producido una transformación cultural significativa. Los individuos aceptaron las proclamas de Jesús, pero en muchos casos sus vidas no fueron transformadas. Su sociedad tampoco cambió.

Durante buena parte del siglo XX, la Iglesia ha definido la Gran Comisión de Cristo, en Mateo 28:18-20, como evangelización y conversión, pero no transformación personal y nacional. Acercar a la gente a la fe es una tarea importante, pero ¿es eso todo lo que Jesús quiso decir cuando mandó a sus seguidores que «hicieran discípulos de todas las naciones»?

En esta sesión veremos que la Gran Comisión del Señor es mucho más que un llamado a «ganar almas para Cristo». Es un mandato que mueve a someter naciones enteras bajo el reino y la autoridad de Jesús el Rey. Es una comisión que apunta nada menos que a la transformación y sanidad significativa de naciones enteras.

PALABRAS CLAVES
Un mandato del Rey

Comisión

Aunque esta palabra tiene varios significados, en esta sesión tiene el sentido de «encargo, orden o mandato». La Gran Comisión es la orden o el mandato de Cristo a sus discípulos. La proclamación es «grande» porque fue la última enseñanza del Señor y resume el papel de la Iglesia hasta su retorno.

Discípulo

La palabra discípulo deriva de la latina *discipulus*, que significa «alumno» o «aprendiz» de un maestro. En los Evangelios, a los asociados de Jesús se les conocía como discípulos, especialmente a los doce apóstoles. Sin embargo, el lazo que unía a éstos con el maestro se extendía más allá de una sencilla relación maestro-alumno. Ser discípulo exigía devoción personal y lealtad a Jesús. Ellos pusieron a Jesús primero y aplicaron sus enseñanzas a cada esfera de la vida, sin tener en cuenta el sacrificio personal.

El mandato de Cristo de «hacer discípulos», en la Gran Comisión, convoca a la Iglesia a invitar a gentes de todas las naciones a seguirle.

Ordenanza

Una ordenanza es una norma, estatuto o decreto establecido por alguien en autoridad, como un rey o poder soberano. Esta sesión hace alusión a las ordenanzas y decretos de Dios o de Cristo.

VERSÍCULOS CLAVES

Hagamos discípulos de todas las naciones

Los once discípulos fueron a Galilea, a la montaña que Jesús les había indicado. Cuando lo vieron, lo adoraron; pero algunos dudaban. Jesús se acercó entonces a ellos y les dijo:

—Se me ha dado toda autoridad en el cielo y en la tierra. Por tanto, vayan y hagan discípulos de todas las naciones, bautizándolos en el nombre del Padre y del Hijo y del Espíritu Santo, enseñándoles a obedecer todo lo que les he mandado a ustedes. Y les aseguro que estaré con ustedes siempre, hasta el fin del mundo.

—*Mateo 28:16-20*

1. ¿Qué le fue dado al Cristo resucitado?

   _____

   _____

   _____

2. ¿En qué ámbitos reina Cristo? ¿Hasta dónde alcanza su Señorío?

   _____

   _____

   _____

3. ¿A qué hace referencia el término «por tanto»?

    _____

    _____

    _____

4. ¿Cuál es la principal tarea que Jesús encomendó a sus
    discípulos?

    _____

    _____

    _____

5. ¿Quién se beneficiará del cumplimiento de esta tarea?

    _____

    _____

    _____

INTUICIONES BÍBLICAS

Emisarios de Cristo y su reino

Después de su resurrección, Cristo se apareció a sus discípulos
antes de ascender al cielo. En una soleada colina, desde la que
se contemplaba el mar de Galilea, él les encomendó su encargo
final. Jesucristo, el Rey del cielo, les comisionó como embajado-
res suyos. Ellos serían sus emisarios y establecerían la «embajada»
del reino de Dios en la tierra. Dado que Cristo reina mediante
leyes y ordenanzas divinas, su tarea consistía en enseñar a las
naciones a obedecer todo lo que él les había mandado.

Jesús comenzó la Gran Comisión declarando su autoridad.
«Se me ha dado toda autoridad en el cielo y en la tierra», manifestó. Su afirmación fue absoluta. Incluso ahora, él se declara
Rey de reyes, el que gobierna sobre la creación desde la diestra
del Padre (Efe. 1:20-21; Heb. 10:12-13). Él ha vencido el pecado,
la muerte y al diablo. Su reclamo de autoridad es presente (no

futura) y comprehensiva (no limitada). Él ejerce *actualmente* autoridad en todos los ámbitos —físico, espiritual, social, cultural, educativo, legal, político y en cualquier otra clase de empresa humana. ¡Él es Señor de todo!

Impartió su mandamiento: «Por tanto, vayan». «Vayan es un mandato general para todos los creyentes. Algunas personas han interpretado «vayan» reduciendo su sentido a los misioneros profesionales llamados a dar testimonio de Jesús en otras culturas, pero esta es una visión limitada de la intención de Cristo. Más bien, el mandato de «ir» es un llamamiento a todos los creyentes a hacer discípulos, dondequiera que éstos se hallen. Una traducción más precisa del mandato de Cristo sería «de camino». En el fondo, Cristo quiso decir: «De camino, hagan discípulos de todas las naciones». Es un mandato para todos los discípulos de Cristo: hacer discípulos de nuestras familias, vecindarios y comunidades, así como también de otros países y naciones. Es un llamamiento a vivir plenamente entregados a Dios, en toda nuestra forma de pensar, hablar y actuar.

La evangelización de las naciones

Jesús mandó a sus discípulos que «fueran e hicieran discípulos de todas las naciones». El acento que puso en «las naciones» es coherente con la Biblia. Pero ¿qué significa hacer discípulos de todas las naciones? Por supuesto, las naciones están compuestas de individuos. Ciertamente, se nos ha mandado compartir el evangelio con individuos, y una vez que crean en Jesús, hemos de bautizarles y discipularles, conforme a las enseñanzas de Cristo. Esta es una interpretación común y correcta del mandato, pero aún hace falta algo fundamental. Cristo usó la palabra «naciones» como objeto de este mandato, por tanto, ¿qué significa para nosotros?

Una nación es más que un grupo de individuos que comparten una misma etnia y ubicación geográfica, La palabra *nación* que aparece en la Biblia deriva de la latina *natio*, que significa nacimiento, raza o nación, y procede a su vez de la palabra griega *etnos*, que designa un grupo étnico o lingüístico bien diferenciado, y de la hebrea *goy*.

Los miembros de una nación comparten una misma lengua y un conjunto de valores. Su cultura se manifiesta en varios ámbitos o «esferas». Entre ellas se incluyen la familia, las artes, las ciencias, los medios de comunicación, las leyes, el gobierno, la educación y la empresa. Dios se preocupa de los individuos y de sus vidas corporativas, esto es, de las naciones. Él desea que su gobierno y su reinado influyan cada esfera de la sociedad en que vivimos. ¿Por qué? Porque toda autoridad le pertenece. ¡Él es Señor de todo!

HORIZONTALMENTE

Proclamación del evangelio a todas las naciones

VERTICALMENTE

La verdad bíblica debe penetrar en todas las esferas de la sociedad:

familia

Iglesia

artes

educación

gobierno

comercio

etc.

De hecho, el mandato de hacer discípulos de todas las naciones tiene una dimensión horizontal y otra vertical. La dimensión horizontal se refleja en Hechos 1:8. Los discípulos de Cristo deben proclamar las buenas nuevas de Jesús horizontalmente, a todas las naciones, tanto «en Jerusalén como en toda Judea y Samaria, y hasta los confines de la tierra». Esta es la gran tarea de las misiones fronterizas —proclamar el evangelio horizontalmente, a todos los rincones «no evangelizados» del globo.

Pero también hay una dimensión vertical de la Gran Comisión. La Iglesia debe servir como «sal y luz» (Mat. 5:13-19) en la sociedad. Hemos de vivir la vida cotidiana de tal manera que la verdad, la bondad y la belleza penetren verticalmente en cada esfera de la sociedad: la familia, el vecindario, el arte, la ciencia, el comercio, la educación y la política —en todas ellas— y transformen culturas enteras.

Considerando que Cristo es Señor de todo, el discipulado de las naciones extiende su reino y su gobierno ¡sobre toda la creación! Su Gran Comisión apunta nada menos que a la transformación total y completa de naciones enteras. Este proceso comienza cuando el poder del Espíritu Santo produce un nuevo nacimiento en los individuos. Aunque la salvación personal es el punto de partida esencial del proceso, no es el de llegada. El arribo se produce cuando la perfecta voluntad e intenciones de Dios son obedecidas «en la tierra como en el cielo» (Mateo 6:10), no sólo en las vidas individuales, sino en toda parte de la creación, en toda esfera de la sociedad.

Aun cuando este proceso de discipulado no se complete hasta que Jesús regrese, se nos ha mandado que trabajemos por conseguir este objetivo hasta ese día (Lucas 19:11-13). En resumidas cuentas, la Iglesia no puede cumplir el mandato de «hacer discípulos de todas las naciones» únicamente salvando almas y fundando nuevas iglesias, pero tampoco puede cumplir el mandato sin empezar por esto.

Los mandatos secundarios

Además del mandato básico de «vayan y hagan discípulos de todas las naciones», hay dos instrucciones secundarias. Son: «bautizándolos en el nombre del Padre y del Hijo y del Espíritu Santo» y «enseñándoles a obedecer todo lo que les he mandado a ustedes».

La palabra *bautizar* deriva de la griega *baptizo*. Esta palabra aparece en la obra del médico y poeta griego Nicandro —que vivió unos 200 años a.C.—, en su receta para encurtir pepinillos. (Los pepinillos se preservan y se aliñan en una solución de salmuera o vinagre.) Según Nicandro, para hacer esto se sumerge el vegetal (*bapto*) en agua hirviendo, y después «se bautiza» (*baptizo*) en una solución de vinagre. Ambos verbos significan sumergir verduras en una solución. El primer (*bapto*) es temporal. El segundo, (*baptizo*, el acto de bautizar la verdura) produce un cambio permanente.

En el Nuevo Testamento, *baptizo* (producir un cambio permanente) alude a la unión e identificación con Cristo. En la Gran Comisión, Jesús declaró que no es suficiente creer meramente en la verdad. Debe también haber una unión con él, lo que produce un cambio real —como el pepinillo en conserva.

Esta naturaleza transformadora del bautismo suele pasarse por alto. Así como Cristo es Dios en carne humana, los cristianos (y las iglesias locales) hemos sido llamados a reflejar a Jesucristo en este mundo arruinado. Cuando los discípulos de Jesús viven de una manera que refleja el carácter de Dios, entonces el efecto multiplicador de sus vidas influenciará profundamente a las naciones. ¿No es extraordinario?

La segunda instrucción es enseñar a las naciones a obedecer «todo lo que les he enseñado». Dios desea que todas las naciones sean transformadas de su ruina actual a la gloria de su buena voluntad. Como dijimos en la última sesión, al final de los tiempos cada nación comparecerá en la presencia de Dios, manifestando su singular gloria y esplendor. Esta transformación ocurre a medida que los mandatos de Cristo se reflejan en todas las esferas de la sociedad. Puesto que Jesucristo es Dios en carne humana, «todo lo que les he enseñado» comprende toda la revelación de Dios registrada en la Escritura.

A medida que en una nación aumenta el número de personas que creen en Dios y obedecen sus mandatos, éstas serán transformadas espiritual y personalmente. A medida que viven esta transformación en cada esfera de la sociedad, sus naciones también serán transformadas. Aunque no habrá ninguna nación completamente sanada antes del retorno de Cristo, hay esperanza de sanidad sustancial. El mensaje y el poder de Cristo prometen sanidad.

PREGUNTAS DE DESCUBRIMIENTO
Demos sentido a la misión

El sentido de la Gran Comisión es aún más profundo cuando se estudian personalmente las Escrituras. Abra su Biblia para leer más acerca del plan de Dios para las naciones y para usted.

1. ¿Cómo se describen el reino y la autoridad de Jesús en estos pasajes?

    _____

    _____

    _____

    Isaías 9:7

    _____

    _____

    _____

    _____

    Daniel 7:13-14

    _____

    _____

    _____

    Efesios 1:20-22

    _____

    _____

    _____

    _____

Filipenses 2:9-11

_____

_____

_____

_____

Apocalipsis 19:16

_____

_____

_____

_____

_____

2. Lea Colosenses 1:15-18. ¿Qué creó Jesús?

    _____

    _____

    _____

    _____

3. ¿Cuál es su relación actual con la creación?

    _____

    _____

    _____

4. ¿Sobre qué tiene él «supremacía»?

    _____

    _____

    _____

    _____

5. Colosenses 1:18 concluye diciendo: «Para ser en todo el pri-
    mero». ¿Cómo influye la supremacía [de Jesús] sobre todas las
    cosas en su entendimiento del mandato de Cristo de «hacer

discípulos de todas las naciones»? ¿Cuán extensa y profundamente debe extenderse este mandato?

_____

_____

_____

_____

_____

6. Jesús nos manda «hacer discípulos». Según estos pasajes, ¿qué quiere él decir por «discípulo»?

_____

_____

_____

_____

Marcos 8:34-35

_____

_____

_____

_____

Marcos 10:21, 28-29

_____

_____

_____

_____

Lucas 14:26-33

_____

_____

_____

_____

PUNTOS PARA RECORDAR
Abracemos la Gran Comisión

Jesús gobierna sobre toda la creación desde la diestra de Dios.

La Gran Comisión nos convoca a llevar naciones enteras bajo la autoridad de Cristo.

El mandato de Cristo «por tanto, vayan» encarga a los creyentes hacer discípulos dondequiera que aquellos estén, viviendo en plena devoción a Dios.

La salvación personal es el punto de partida esencial para hacer discípulos de todas las naciones.

En el Nuevo Testamento, «bautismo» hace referencia a la unión e identificación con Cristo —unión que produce un verdadero cambio espiritual y personal.

Aunque ninguna nación disfrutará de sanidad completa antes del retorno de Cristo, todas pueden experimentar una sanidad sustancial.

PENSAMIENTOS FINALES
Un llamamiento a la fidelidad

En las Escrituras, Dios expresa su amor por todas las naciones y muchas promesas de bendición. La Gran Comisión es una reiteración de este tema, dirigido a la Iglesia. Según esta comisión, la Iglesia ha de hacer discípulos de todas las naciones, ha de conmover a las naciones con la majestad del Dios viviente. La Iglesia ha de extender el orden del reino de Dios a las naciones —no sólo al final de los tiempos, sino en el presente—. El reino de Dios avanzará en tanto la Iglesia modele y declare la naturaleza, el carácter y los mandatos de Jesús.

Dios llevará a cabo fielmente sus propósitos, y todas las naciones serán bendecidas. Esta realidad acarrea esperanza para cada nación del mundo. Dios también presenta un claro desafío a la Iglesia de hoy. ¿Apreciaremos el pleno ámbito de aplicación de su mandato y lo llevaremos fielmente a cabo? ¿O tendrá Dios que esperar a otra generación fiel?

Recuerde: Ser discípulo no es fácil, mas para Dios todo es posible (Mat. 19:26).

APLICACIÓN PERSONAL
Planes para un cambio diario

Sírvase de estas últimas preguntas para reflexionar en torno a cómo entiende y se relaciona usted con la Gran Comisión. ¿Cómo puede influirle personalmente?

1. Antes de esta sesión, ¿qué entendimiento tenía de la Gran Comisión?

   _____

   _____

   _____

2. ¿Ha cambiado su entendimiento del mandato de Cristo como resultado de esta sesión? Si es así, ¿cómo?

   _____

   _____

   _____

3. Medite en cómo este nuevo entendimiento puede cambiar su enfoque, actividades y actitudes cotidianas. ¿Qué cambios, si procede, tiene que hacer? ¿Qué pasos podría dar en sus relaciones diarias?

   _____

   _____

   _____

   _____

4. ¿Tiene que adoptar más cambios de vida en el futuro? (Por ejemplo, Dios podría llamarle a un cambio de carrera, ubicación, estilo de vida o compromiso.) ¿Cuál podría ser? ¿Qué siente acerca de esto?

    _____

    _____

    _____

    _____

5. Pida a Dios esta semana que le ayude a adoptar estos cambios, empezando a dar un pequeño paso. Escriba lo que se propone hacer. Comparta su decisión con un amigo que le estimule durante el proceso de cambio.

    _____

    _____

    _____

    _____

UNA RESPUESTA PRÁCTICA
Llamados y comisionados

Usted ha hallado mucha información en este estudio. Confiamos en que le haya sido de inspiración para evangelizar a individuos y a su nación para Cristo. Las siguientes actividades pueden servir para concluir estas sesiones y motivarle a comprometerse con las naciones. Aunque las instrucciones han sido redactadas para líderes de grupo, a fin de facilitar la clausura en un ambiente de grupo, sus miembros también pueden realizar una actividad de collage.

Una actividad de collage

Antes de la última reunión de grupo, el líder puede reunir revistas viejas, periódicos y otras publicaciones que contengan fotos e ilustraciones. Cuando el grupo llegue a esta parte de la sesión, extienda todo sobre una mesa, o en el suelo, con suficientes tijeras, pegamento o cinta, y hojas grandes de papel, tablero o póster, para cada miembro del grupo. Con las imágenes y palabras de las publicaciones, cada participante puede crear un collage que represente su compromiso con las naciones. Los participantes pueden recortar imágenes/palabras que representen a sus naciones, su llamado a la Gran Comisión, los cambios que tienen que hacer para seguir este mandato, los sentimientos que albergan acerca de este llamamiento y los cambios personales necesarios, así como cualquier otra cosa que represente su compromiso con la Gran Comisión, en el presente o en el futuro.

Aunque esta actividad pueda parecer elemental, no sean reacios a completarla. Serán inspirados por la intuición y la creatividad que surja del grupo. Pida a los miembros que se lleven sus collages a casa y los coloquen en un lugar visible para poder ser inspirados por el significado de sus obras en las próximas semanas.

Oren por los participantes

Pida a cada persona que explique su collage, y después oren por el compromiso de ese individuo con la Gran Comisión. Conceda un tiempo limitado a las explicaciones de cada uno y a la intercesión en grupo, para que todos los miembros del mismo tengan oportunidad de ser escuchados y de recibir oración suficiente. Designe a alguien para hacer una oración final, comisionando al grupo a la maravillosa misión de discipular a las naciones.

꩜ Notas

1. Se puede acceder a una información estadística actualizada acerca del hambre en el mundo a través de The Hunger Project, 15 E. 26th Street, New York, NY 10010. *www.thp.org*

2. En Génesis 12:1-3, el hombre se llama Abram. Dios cambió su nombre por el de Abraham (Gén. 17:5), para indicar que él sería padre de muchas naciones. En este estudio, figura con el nombre de Abraham.

3. Thomas Cahill, *The Gifts of the Jews* (New York: Nan A. Talese, 1998), pp. 240-241.

4. Walter Wangerin, Jr. *Relieving the Passion* (Grand Rapids: Zondervan, 1992), p. 116.

5. Dan Allender y Tremper Longman III, *Bold Love* (Colorado Springs: NavPress, 1992), p. 78.

6. *«Just and the Justifier»*, *Tabletalk*, publicado por Ligonier Ministries y R.C. Sproul, marzo de 2002, p. 23.

7. Facts from the History Place, 14 de mayo de 2002. *http://www.historyplace.com/index.html*

8. Católicos 64,8%; protestantes 9,2%; musulmanes 9%; religiones tribales 17%. Esta estadística de 1995 pertenece a la Organisation Internationale de la Francophonie, 14 de mayo de 2002. Cabinet du Secrétaire général de l'OIF, 28, rue de Bourgogne, 75007 Paris, France. *http://www.francophonie.org/oif.cfm*

Guía para el líder

Sugerimos las siguientes directrices para los responsables que lideren los grupos de este estudio bíblico. Por supuesto, será necesario adaptar los estudios y las sugerencias que hemos hecho a la realidad de su grupo y de su cultura particular.

Cómo prepararse para dirigir un grupo

♦ Sugerimos reuniones de una hora por sesión. Esto permitirá dedicar:

❖ 20 minutos a repasar las secciones de Versículos Claves e Intuiciones Bíblicas.

❖ 20 minutos a comentar las secciones de Preguntas de Descubrimiento y la Aplicación Personal.

❖ 10 minutos a orar unos por otros.

❖ 10 minutos a la oración y la adoración.

♦ Es mejor limitar el grupo a seis u ocho participantes (no más de doce) para procurar que todos contribuyan a la conversación. Si la asistencia aumenta, sería conveniente dividir el grupo para el tiempo de coloquio y volver a reunirse para concluir en oración.

♦ Pídales a los participantes que completen la sesión individualmente (si cuentan con sus propios libros) antes de asistir a la reunión.

♦ Responda usted mismo todas las preguntas antes de la reunión para dirigir eficientemente el grupo. Asegúrese de que comprende los puntos principales de cada sesión. Reflexione cómo se aplican a su propia vida. Luego, al dirigir el grupo, puede prestar una mejor contribución al coloquio clarificando cuestiones cuando sea preciso y ofreciendo sugerencias cuando la conversación se prolongue.

◆ Lea previamente las ideas sugeridas como Respuestas Practicas al final de cada lección. Si piensa poner en práctica una o más actividades en grupo, lleve las cosas necesarias a la reunión.

◆ Preséntese con tiempo a las reuniones para preparar la sala (sillas, refrescos, ayudas a la enseñanza, etc.) y salude a los participantes a su llegada.

◆ Tómese tiempo en la primera reunión para presentar a los participantes. Si lo desea, puede empezar con alguna actividad para que los miembros se conozcan un poco mejor. Comience el estudio presentando las ideas principales de la introducción y leyendo los objetivos generales de las sesiones (Vea las *Notas de Estudio* que siguen a esta *Guía para el líder*).

◆ Actué como un moderador como un maestro. He aquí algunas sugerencias:

❖ Anime al grupo a participar. Es mejor sentarse en círculo que en filas.

❖ Llame a los participantes por su nombre.

❖ Pida a distintas personas que oren y lean.

❖ Haga preguntas y espere respuestas. No dé su respuesta inmediatamente.

❖ Agradezca a los participantes sus ideas y pida la opinión de otros.

❖ Escoja a los que tienden a ser remisos.

❖ Recupere con tacto el hilo de la conversación de los participantes que tienden a dominarla y a desviarse del tema.

❖ Pida una explicación a los participantes que se limitan a responder «sí» o «no».

❖ Dosifique el estudio a un ritmo que permita la máxima comprensión de los participantes. Repase todo lo que haga falta.

❖ Tenga en mente el objetivo de la sesión y no se desvíe de él. Estos objetivos, así como posibles respuestas a las preguntas, se facilitan en las *Notas de Estudio*.

Otras sugerencias para dirigir las sesiones

♦ Pida a un miembro del grupo que comience y termine la reunión en oración.

♦ Comience la reunión repasando los *Puntos para recordar* de la sesión anterior. Tómese tiempo para comprobar cómo los participantes han puesto en práctica la enseñanza de la sesión anterior.

♦ Si lo desea, puede asignar los *Versículos Claves* para leer como ejercicio de memorización. En ese caso, tome algo de tiempo al comienzo de cada reunión para que los participantes reciten los versículos correspondientes a esa sesión. Esto se puede hacer fácilmente en parejas para ahorrar tiempo.

♦ Vuelva a la sección de *Palabras Claves* cuando sea necesario, durante el coloquio.

♦ Lea los *Versículos Claves* y responda a las preguntas planteadas al grupo. (Compruebe posibles respuestas en las *Notas de Estudio.*)

♦ Si los participantes tienen libro, túrnense para la lectura de la sección *Intuiciones Bíblicas*. Si usted es el único con libro, comparta los puntos principales o lea esta sección al grupo. La sección *Puntos para Recordar* ayudará a presentar las ideas principales.

♦ Respondan en grupo a las *Preguntas de Descubrimiento*. (Consulten posibles respuestas en las *Notas de Estudio.*)

♦ Respondan en grupo a las preguntas de *Aplicación Personal*. Si lo desea y los participantes cuentan con sus propios libros, pueden dividirse en grupos más pequeños (de dos o tres personas), y pedir a cada subgrupo que lean y respondan a las preguntas de *Aplicación Personal*.

♦ Si le parece conveniente, lleven a cabo una actividad de *Respuesta Práctica*. Se facilitan estas ideas optativas para ayudar a los miembros del grupo a aplicar los puntos principales de la sesión a sus propias vidas.

♦ En las *Notas de Estudio* que siguen a esta Guía hallará los objetivos, posibles respuestas a las preguntas relacionadas con los *Versículos Claves* y respuestas posibles a las *Preguntas de Descubrimiento* para cada sesión.

Notas de estudio

Ya sea que dirija o participe en un grupo pequeño, o estudie solo, le puede resultar útil consultar los objetivos y las respuestas sugeridas para las Intuiciones Bíblicas y las Preguntas de Descubrimiento de cada sesión. No todas las preguntas esperan una respuesta del tipo «correcto» o «incorrecto», pero estas sugerencias le ayudarán a estimular su pensamiento.

Sesión 1: El plan singular de Dios para las naciones

Objetivo: Describir la naturaleza del plan redentor de Dios y cómo se ha desplegado a través de los siglos.

Respuestas posibles a las preguntas de los Versículos Claves

1. Su país, su pueblo y la casa de su padre.
2. «a la tierra que te mostraré»
3. «Vete a la tierra que te mostraré». «Haré de ti una nación grande». «Te bendeciré». «Haré famoso tu nombre». «Bendeciré a los que te bendigan». «Maldeciré a los que te maldigan».
4. Serán bendecidas todas las naciones (familias) de la tierra.
5. Bendecir a todas las naciones de la tierra.

Respuestas posibles a las Preguntas de Descubrimiento

1a. Él determinó los tiempos establecidos para cada nación, así como su localización geográfica exacta.
1b. Dios desea que todas las naciones le busquen y le encuentren.
1c. Dios creó a todas las naciones. Ellas pueden rastrear su linaje hasta Adán y Eva.
2a. Hacer que «la naturaleza inmutable de su propósito resulte muy clara a los herederos de lo que fue prometido»
2b. El juramento de Dios garantiza que él bendecirá a sus hijos y a todas las naciones.

2c. El juramento de Dios garantiza a toda nación —incluso a las más pobres y marginadas— que él las va a bendecir.

3. Cada pasaje muestra el cumplimiento de la promesa de Dios a Abraham a medida que las naciones del mundo reconocen al Creador y le adoran.

4. Puede traer esperanza, sanidad, gozo y bendición a nuestra nación.

Sesión 2: El importante cometido de Israel en el plan de Dios

Objetivo: Describir cómo actuó Dios a través de la descendencia de Abraham —la nación de Israel—para llevar a cabo la primera fase de su plan redentor.

Respuestas posibles a las preguntas de los Versículos Claves

1. Que los caminos de Dios sean conocidos en la tierra a través de Israel.

2. Él desea que «todos los pueblos» le alaben, se alegren y canten de gozo. Desea que los «confines de la tierra» le reverencien.

3. Se le describe como el que gobierna a «los pueblos» con justicia y guía a las naciones de la tierra.

4. La tierra producirá su cosecha. Dios bendecirá a Israel, y todas las naciones le reverenciarán.

5. Ambos hablan de las promesas de Dios de bendecir a la descendencia de Abraham (Israel) y de bendecir a las naciones del mundo a través de Israel.

Respuestas posibles a las Preguntas de Descubrimiento

1. Él escogió a Israel porque amó a su pueblo (puso su afecto en ellos) e hizo un juramento a Abraham, el padre de Israel, de bendecir su descendencia. No les escogió porque fueran más numerosos que otras naciones.

2. De su esclavitud y opresión en Egipto.

3. Para andar en sus caminos, y obedecer (observar) sus leyes y decretos.

4. Le «iría bien» a Israel, entonces y en el futuro. «Vivirían» largos años en la tierra que Dios les concediese. Dios revelaría su sabiduría, entendimiento y poder a otras naciones a través de ellos.

5. Aprenderían que Israel era una nación sabia y bendecida. Que Dios existe, que él desea ser obedecido y que la obediencia reporta beneficios concretos.

6. La verdad revelada de Dios fue dada a Israel y después fue propagada por el mundo. Ha influido en nuestra nación e impregnado la cultura; ha dejado huella en nuestros valores, nuestra concepción de la vida humana y en el ordenamiento de nuestra nación.

Sesión 3: Jesús, el centro del plan de Dios

Objetivo: Describir por qué Jesús es el centro del plan redentor de Dios y qué consiguió el sacrificio de su muerte y su resurrección.

Respuestas posibles a las preguntas de los Versículos Claves

1. La plenitud de Dios en Jesús.
2. Reconciliar todas las cosas con Dios.
3. Todas las cosas que hay en la tierra y en el cielo.
4. Mediante las sangre de Cristo derramada en la cruz.

Respuestas posibles a las Preguntas de Descubrimiento

1. Una persona pecadora no puede agradar a Dios.
2. Todos somos pecadores.
3. El juicio, la ira y la cólera de Dios —y la muerte definitiva.
4. Nos salvó y «nos dio vida».
5. *Romanos 8:1-4:* No hay condenación. Hemos sido librados del pecado y de la muerte. Las justas exigencias de la ley se

cumplen plenamente en nosotros. La justicia de Cristo nos
ha sido imputada.

2 Corintios 5:21: Ahora tenemos la justicia de Dios.

Efesios 1:7: Hemos sido redimidos, y nuestros pecados, perdonados.

Apocalipsis 1:5-6: Somos libres del pecado. Hemos sido
hechos un reino de sacerdotes para servir a Dios.

6. *2 Corintios 5:17-19:* Somos una «nueva creación».

    Efesios 2:4-7: Hemos sido «salvados» y resucitados con Cristo
    y sentados en los lugares celestiales.

7. El antiguo pacto fue entre Dios e Israel. Requería su com-
    pleta obediencia a la ley de Dios. Si ellos violaban las leyes y
    los decretos de Dios, tenían que ofrecer sacrificios cruentos
    (de animales) para hacer expiación por sus pecados. Tales
    sacrificios debían ofrecerse una y otra vez.

    El nuevo pacto es entre Dios y los pueblos de todas
    las naciones que han puesto su fe en la obra redentora de
    Jesús y le someten sus vidas en obediencia. A diferencia
    de los sacrificios de animales del antiguo pacto, el sacrifi-
    cio de la muerte de Cristo en la cruz expía sus pecados de
    una vez por todas.

    Bajo al antiguo pacto, la ley estaba escrita en tablas de
    piedra. Bajo el nuevo, el Espíritu Santo entra a morar en los
    seguidores de Jesús, y la ley de Dios está «escrita en sus cora-
    zones», en contraposición a las tablas de piedra del antiguo
    pacto.

    El nuevo pacto fue necesario porque los sacrificios de
    animales nunca podían verdaderamente expiar los pecados
    o restaurar a una persona a una correcta relación con Dios.
    Sólo sirvió como precursor del perfecto sacrificio de Cristo
    en la cruz por los pecados de la humanidad.

8. Las respuestas individuales pueden variar.

Sesión 4: El propósito de Dios para la Iglesia

Objetivo: Describir cómo y por qué Dios levantó a la Iglesia para ser el principal agente propagador de su plan redentor en la presente era.

Respuestas posibles a las preguntas de los Versículos Claves

1. En Éxodo 19:5-6: Dios asegura que Israel es su «propiedad exclusiva» y «un reino de sacerdotes y una nación santa». 1 Pedro 2:9-10: Dios (a través del apóstol Pedro) llama a la Iglesia «pueblo que pertenece a Dios» y «real sacerdocio, nación santa».

2. Es significativo, porque al único pueblo que se llamó «pueblo de Dios», antes del advenimiento de Jesús, fue la nación de Israel.

3. Para que pudieran «declarar las alabanzas» de Dios al resto del mundo.

4. Israel fue bendecido por Dios para que ellos le dieran a conocer a las naciones de la tierra. Lo mismo es cierto hoy para la Iglesia.

Respuestas posibles a las Preguntas de Descubrimiento

1. A través de la «sangre de Cristo» y poniendo su «fe en Cristo».

2. En Éxodo 19:6, es Israel. En Apocalipsis 5:9-10, es la Iglesia universal.

3. La Iglesia debe verse a sí misma como «el cuerpo de Cristo» en medio de un mundo incrédulo. Representa a Cristo y lo refleja al mundo.

    Puede compartir el evangelio y actuar para esparcir esperanza y sanidad en el nombre de Jesús.

4. *Juan 10:14-16:* el rebaño de Dios.

    Gálatas 6:16: el Israel de Dios.

Efesios 1:22-23: el cuerpo de Cristo.

Efesios 2:19-22: conciudadanos de los santos y miembros de la familia de Dios.

Efesios 3:15: la familia de Dios.

1 Pedro 2:9: linaje escogido, real sacerdocio, nación santa, pueblo que pertenece a Dios.

Apocalipsis 19:7: la novia de Cristo

5. La fuente de la unidad es nuestra común relación con Dios y el mismo Espíritu Santo que vive en todos nosotros. Nuestra diversidad consiste en diversos dones, servicios y «funciones» o roles.

6. Como «cuerpo» de Cristo aquí en la tierra, La Iglesia debe reflejar la plenitud de Jesús ante los observadores ojos del mundo.

Sesión 5: La gloria de las naciones

Objetivo: Describir las bendiciones que Dios tiene preparadas para las naciones cuando él regrese a la tierra al final de los tiempos.

Respuestas posibles a las preguntas de los Versículos Claves

1. Una gran multitud de todas las naciones, tribus, pueblos y lenguas.

2. *Isaías 1:18:* Las vestiduras blancas representan el lavamiento del pecado.

   Apocalipsis 19:6-8: Las vestiduras blancas representan los actos de justicia de los santos.

3. El Cordero. Dios. El Alfa y la Omega. Él es el Cordero porque es el sacrificio definitivo y perfecto para expiar los pecados de la humanidad. Él es Dios, soberano Creador y Gobernador. Él es el Alfa y la Omega, el principio y el fin de todo.

4. No habrá más hambre, sed, tristeza, dolor ni muerte. Jesús pastoreará a las naciones y las «guiará a fuentes de agua viva».

Respuestas posibles a las Preguntas de Descubrimiento

1. Pueblos de todas las naciones.
2. Adorarán a Dios y le cantarán alabanzas.
3. Las naciones se alegrarán y cantarán de gozo. Adorarán a Dios.
4. Sus «espléndidas riquezas» y la «gloria y el honor» de las naciones.

Sesión 6: Nuestra misión: Discipular a las naciones.

Objetivo: Explicar por qué la Gran Comisión (Mat. 28:18-20) es mucho más que un llamamiento a «ganar almas para el cielo»; es un mandato a llevar naciones enteras bajo el reino y la autoridad de Jesús el Rey.

Respuestas posibles a las preguntas de los Versículos Claves

1. Toda autoridad en el cielo y en la tierra.
2. Él reina en todos los ámbitos. Su Señorío se extiende sobre toda la creación.
3. Al hecho de que Cristo ejerce toda autoridad sobre la creación.
4. Hacer discípulos de todas las naciones.
5. Todas las naciones.

Respuestas posibles a las Preguntas de Descubrimiento

1. El reino y la autoridad de Jesús son sempiternos. Su reino nunca será destruido. Su autoridad está «muy por encima de todo gobierno y autoridad, poder y dominio, y de cualquier otro nombre que se invoque» (Efe. 1:20-22).

    Todos se someterán a su Señorío. Él es el «Rey de reyes y Señor de señores» (Apo. 19:16).
2. Él creó «todas las cosas».
3. «Todas las cosas, por medio de él forman un todo coherente». Él sustenta todas las cosas a cada momento.

4. Él tiene supremacía sobre «todas las cosas».
5. Su mandato de hacer discípulos de todas las naciones debe extenderse a «todas las cosas», no sólo a las almas de los hombres. Su Señorío es sobre todo, de manera que todo debe ser transformado.
6. Jesús entiende que un discípulo es aquél que está dispuesto a entregarlo todo para seguirle.

Acerca de los autores

Darrow L. Miller es vicepresidente de Food for the Hungry International (Fundación Contra el Hambre) y co-fundador de la Disciple Nations Alliance (Alianza para el Discipulado de las Naciones). Ha trabajado para la FHI desde 1981. Su pasión consiste en ayudar a la gente a aplicar la cosmovisión bíblica para que las naciones queden libres del azote del hambre y la pobreza. En su libro *Discipulando naciones* (1998, Editorial JUCUM), expone su anhelo de renovar la visión de la iglesia por el discipulado de las naciones. Darrow es licenciado en pedagogía, tiene cuatro hijos, y reside con su esposa Marilyn en Cave Creek, Arizona.

Bob Moffitt es presidente de la Harvest Foundation y co-fundador de la Disciple Nations Alliance. Por más de treinta años ha desarrollado y dirigido organizaciones cristianas fundadas para animar y equipar a los creyentes para mostrar el amor de Dios, especialmente a los quebrantados y a sus comunidades. Escribe y enseña materiales diseñados para preparar a los cristianos a vivir su fe de una manera práctica, particularmente en el contexto de las iglesias locales. Él y su esposa Judy residen en Phoenix, Arizona.

Scott D. Allen es coordinador internacional de la Disciple Nations Alliance. Ha colaborado con FHI (Alimentos para el Necesitado Internacional) desde 1989, y ha servido como director de desarrollo de recursos humanos. Ha sido también misionero en Japón y profesor de inglés en iglesias locales del área de Osaka. Scott es diplomado en historia y pedagogía por la universidad de Willamette, Salem, Oregon. Reside con su esposa Kim y sus cuatro hijos en Phoenix, Arizona.

Otros Estudios Bíblicos **ESTILO DE VIDA DEL REINO**

Para revolucionar vidas y renovar mentes

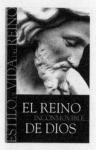

El reino inconmovible de Dios
por Scott D. Allen, Darrow L. Miller y Bob Moffitt

La noción del reino de Dios es una de las más confusas, controvertidas y malentendidas de la Biblia. Pero fue el tema central de las enseñanzas de Jesús. Él habló apasionadamente del reino de Dios durante su ministerio. La frase «reino de Dios» o «reino de los cielos» aparece noventa y ocho veces en el Nuevo Testamento —más de sesenta veces la menciona Jesús—. Este profundo estudio bíblico explora el reino de Dios, ayuda al creyente a formarse una idea bíblica del motivo por el que Jesús vivió y murió —de la visión que transforma personas, familias, iglesias y naciones enteras.

La cosmovisión del reino de Dios
por Scott D. Allen, Darrow L. Miller y Bob Moffitt

En la actualidad, hay más iglesias y más cristianos en el mundo que en cualquier otro periodo de la historia. Pero ¿de qué sirve? La pobreza y la corrupción son rampantes en los países en vías de desarrollo que han sido evangelizados. La mediocridad moral y espiritual impera en el Occidente «cristiano». ¿Por qué? Porque los creyentes no tienen la «mente de Cristo». Todos tenemos una perspectiva o modelo mental del mundo. Este sistema de ideas y conjeturas determina, en definitiva, las decisiones que tomamos y la clase de vida que llevamos. La cosmovisión del reino de Dios explora la perspectiva bíblica de las cosas; de ahí que entender dicha cosmovisión y vivir conforme a ella sea fundamental para llevar una vida fructífera y abundante.

Disponibles en librerías cristianas o solicítelos a los distribuidores de
Editorial JUCUM

www.editorialjucum.com

903-882-4725

**Disciple
Nations
Alliance**

Fundada por:
Harvest y Fundación
Contra el Hambre

La Disciple Nations Alliance (DNA), o Alianza para el Discipulado de las Naciones, es un movimiento internacional de individuos, iglesias y organizaciones que comparten una visión: que las iglesias locales comprometidas, —creíbles y de gran impacto— lleven a cabo una transformación genuina en sus comunidades, de tal envergadura, que alcancen a discipular a su nación.

DNA fue fundada en 1997 cuando se asociaron Fundación Contra el Hambre y Harvest. La misión de FHI consiste en inspirar a las iglesias con la cosmovisión bíblica y equiparlas para poner en práctica un ministerio integral, personalizado, que afecte a todas las esferas de la sociedad. Nosotros proporcionamos herramientas sencillas que permiten iniciar un proceso de transformación inmediato en las iglesias establecidas —no importa su escasez de recursos.

Si desea recibir más información acerca de la Disciple Nations Alliance o de nuestros recursos para la enseñanza y la instrucción, no deje de visitar nuestra página Web: *www.disciplenations.org*

Disciple Nations Alliance

1220 E. Washington Street
Phoenix, Arizona 85034
www.disciplenations.org

Socios Fundadores

Fundación Contra el Hambre
www.fhi.net

Harvest Foundation
www.harvestfoundation.org

Estrategia Samaritana África

Los mensajes y enseñanzas contenidos en los estudios bíblicos Estilo de vida del reino están siendo aplicados por todo el continente africano gracias al esfuerzo de Samaritan Strategy Africa, red colaboradora de iglesias africanas y organizaciones cristianas coaligadas para llevar a cabo la urgente tarea de despertar, equipar y movilizar a la iglesia africana para que se levante y transforme la sociedad. Samaritan Strategy Africa tiene por objetivo ayudar a las iglesias —proveyendo instrucción, modelos, conferencias y publicaciones— a:

♦ descubrir el plan global de Dios de llevar sanidad y transformación a las naciones;
♦ adoptar la cosmovisión bíblica y ponerla en práctica aplicando la verdad, la bondad y la belleza en todas las esferas de la sociedad;
♦ llevar a cabo un ministerio de evangelización en la comunidad, demostrando el amor de Cristo a los necesitados y quebrantados a través de obras de servicio.

Si desea recibir más información acerca de la Samaritan Strategy Africa, o de futuras oportunidades de formación, o averiguar cómo usted, su iglesia o su organización pueden implicarse, le invitamos a visitar nuestra página Web, o contactarse:

Samaritan Strategy Africa

Dennis Tongoi, director de grupo
PO Box 40360, 00100
Nairobi, Kenya

Tel.: (254) 20-2720037/56
Email: afg@cms-africa.org
Página Web: *www.samaritan-strategy-africa.org*

Samaritan Strategy Africa está afiliada a Disciple Nations Alliance (DNA), movimiento internacional fundado en 1997 cuando se asociaron Fundación Contra el Hambre y Harvest Internacional. La FHI fue constituida para inspirar a las iglesias locales comprometidas, creíbles y de gran impacto, a generar una transformación genuina en sus comunidades, de tal envergadura, que alcancen a discipular a sus naciones.

Para obtener más información, visite: *www.disciplenations.org*